つかみとれ！最高の結末

3分間サバイバル

あかね書房

もくじ

01

星空の殺人《さつじん》

危機《きき》↓逆転《ぎゃくてん》？

「もうお帰りですか？」

オレが席を立ったとき、蝶《ちょう》ネクタイをしたバーテンダーが声をかけてきたのは、グラスの中身がまだ半分ほど残っていたせいだろう。

せっかくタイに来たんだから、ココナッツ・ミルク入りのカクテルでも頼《たの》んでみるかと、飲んだことのないピニャ・コラーダをオーダーしたんだが、なんだかあまったるくて持てあましてしまったんだ。と、本当のことを言うのも悪いから、「約束に遅《おく》れそうなんでね」と彼《かれ》に笑いかけ、水をひと口飲んで席を立った。

そんなよけいなこと、言わなければよかったんだが……。

降《ふ》るような星空のもと、オレは待ち合わせの場所に向かう。
人目をしのぶために選んだのは、ホテルの敷地内《しきちない》のはずれのココヤシの木だ。
ところが……。
待ち合わせの相手であるリー氏は、木の下にうつぶせに倒《たお》れていたのである。
オレはしゃがみこむと、そっとリー氏の首にふれてみた。
脈《みゃく》がない！　心臓《しんぞう》に持病でもあったのか？
もしかしてまだ蘇生《そせい》するかもしれない。救急車《きゅうきゅうしゃ》を呼《よ》ぶべきか。
いや、敵《てき》の多いリー氏のことだ。もしかしたら殺《ころ》されたのかも……毒殺《どくさつ》とか。
……というか、オレに疑《うたが》いがかかる可能性《かのうせい》は大きいじゃないか。
すぐに荷物をまとめて逃《に》げようと思ったとき。
「おーい、チェン！　そっちに行っちゃダメだよ！」
ホテルの支配人《しはいにん》が、ペットのサルを追いかけてこっちに向かってきたんだ。
「その人、どうしたんですか？」
支配人《しはいにん》はサルを腕《うで》に抱《だ》くと、オレを疑《うたが》いの目でにらみつけながら、後ずさる。

「ちがう……オレは何もしてない！　たった今ここに来たら倒《たお》れていたんだ！」

リー氏の死因《しいん》は、頭を強打したための脳出血《のうしゅっけつ》だったそうだ。

死体のそばにいた上に、バーテンダーが「『約束に遅《おく》れそうだ』と言って出ていった」と証言《しょうげん》したことなどから、オレは容疑者《ようぎしゃ》にされてしまった。

リー氏の持ち物が調べられると、オレの連絡先《れんらくさき》も出てきて——後ろ暗いところのあるオレはまずい立場に追いこまれた。

「でも、もし殺《ころ》すつもりだったら、わざわざ他人に『約束がある』なんて言ったりしませんよ。」

オレはけんめいに主張《しゅちょう》したが、刑事《けいじ》はバカにしたように言った。

「きっと最初は殺《ころ》すつもりじゃなかったんだろう。だけど、取り引きの交渉《こうしょう》がうまくいかずに、カッとなってなぐりつけた。そんなところじゃないか？　あなたは、ボクシングの心得《こころえ》があるらしいね。凶器《きょうき》も見当たらないし、相手が死ぬほどの力でなぐれる人はそういないはずだ。」

交渉《こうしょう》のことを持ち出されると、こっちも苦しい。オレはリー氏と法律的《ほうりつてき》に禁止《きんし》されている薬物の取り引きについて交渉《こうしょう》することになっていたんだ。

「でも……本当にオレはやってない。もし、リー氏がだれかに殺《ころ》されたのなら、ほかに真犯人《しんはんにん》がいるはずだ。もっとよく調べてくれよ。」

興奮《こうふん》してせきこんだオレに、刑事《けいじ》が水の入ったペットボトルをわたしてくれた。

いつのまにか、のどがカラカラになっていた。

水をぐいっと飲み、のどをうるおしたとき、オレはひらめいたんだ。

もしかしたら……。

「刑事《けいじ》さん、真犯人《しんはんにん》がわかりました。ひとつ実験をやらせてください。そうしたら、オレの無実が証明《しょうめい》できるかもしれない。」


主人公は真犯人《しんはんにん》を名指しし、自分の無実を証明《しょうめい》することができた。主人公はどんな実験を行ったのか。リー氏を殺《ころ》した真犯《しんはん》人《にん》はだれだったのだろうか。

解《かい》説《せつ》

真犯人《しんはんにん》は、支配人《しはいにん》のペットのサルである。サルは待ち合わせのココヤシの木にのぼり、ココナッツの実のつけ根をねじって落とした。これが、真下にいたリー氏の頭を直撃《ちょくげき》したのである。熟《じゅく》したココナッツが自然に落ち、頭にぶつかって大ケガをしたり、死亡《しぼう》したりする例は多く報告《ほうこく》されている。実が現場《げんば》に残っていれば主人公は疑《うたが》われなかったはずだが、サルがどこかに持っていってしまっていたのだ。

主人公は支配人《しはいにん》に頼《たの》んで、ペットのサルをヤシの木のそばに連れてきてもらった。このサルがヤシの実を落としたこと、リー氏の頭の外傷《がいしょう》とヤシの実の形状《けいじょう》が一《いっ》致《ち》したことから、主人公は解放《かいほう》された。

ココヤシの木になるココナッツはタイの名産品。ヤシの木は高さが15メートルほどあるため、現地《げんち》の農家では古くからサルに収穫《しゅうかく》をさせている。伝統的《でんとうてき》な手法だそうだが、現在《げんざい》では「動物虐待《ぎゃくたい》ではないか」という声もあり、議論《ぎろん》されている。

02

3の悲劇《ひげき》

失敗↓なぜ？

「ワダさん、たびたびお時間をとらせてしまって、すみませんね。」

「いえ。それより犯人《はんにん》の目星はついたんですか？」

オレは喫茶店《きっさてん》で、おじであるリュウザキマサトの殺人事件《さつじんじけん》を捜査《そうさ》している、ナガイ警部《けいぶ》と向かい合っていた。

事件《じけん》が起こったのは、1週間前。おじは自宅《じたく》の寝室《しんしつ》で、背中《せなか》からナイフをつきたてられ、ベッドにうつぶせに倒《たお》れて死んでいた。遺体《いたい》を発見し、警察《けいさつ》に通報《つうほう》したのは、長年おじの世話をしてきた家政婦《かせいふ》のニカイドウミツコさんだ。

「リュウザキさんはまったく耳が聞こえず、話すこともできなかったそうですね。」

「はい。だから、家政婦《かせいふ》のニカイドウさんがるすのときなら、強盗《ごうとう》が物音を立てて侵入《しんにゅう》してきても気づかなかったと思うんです。」

ナガイ警部《けいぶ》は、トントンと指で軽くテーブルをたたく。

「ですがね、現場《げんば》を検証《けんしょう》した結果、強盗《ごうとう》にしてはおかしい。盗《と》られたものが少ないんですよ。わたしは、リュウザキさんが死んで得《とく》をする、身近な人の犯行《はんこう》だとにらんでいます。リュウザキさんは多くの財産《ざいさん》を持っていますからね。あなたは以前、リュウザキさんの秘書《ひしょ》をやっていたからご存知《ぞんじ》でしょうが。」

「ええ。確《たし》かに5年前までは、おじの秘書《ひしょ》をやっていましたけど。やめてからはわたしもいそがしくて……あまりおじに会う機会がなかったので、最近の財政事情《ざいせいじじょう》はよくわかりませんね。」

ジワリと汗《あせ》がにじむひたいを指でぬぐい、オレはアイスコーヒーをひと口すすった。

「リュウザキさんが亡《な》くなって、たくさんの遺産《いさん》を得《え》るのは、まず唯一《ゆいいつ》の肉親のあなた、ワダタケシさん。それから、会社の共同経営者《きょうどうけいえいしゃ》であるオイヌマカズオさん。遺言状《ゆいごんじょう》で多くの遺産《いさん》の受取人に指名されているのは、家政婦《かせいふ》のニカイドウミツコさんと、今の秘書《ひしょ》のフジタサワコさんです。われわれはこの４人を有力な容疑者《ようぎしゃ》とみています。」

オレは、うすい笑みをうかべた。

「面と向かって容疑者《ようぎしゃ》と言われるとは、困《こま》りましたね、おじが殺《ころ》された時間には、わたしは１人で映画館《えいがかん》にいたので、アリバイを証明《しょうめい》してくれる人もいないし。」

すると、ナガイ警部《けいぶ》は、上着のポケットから写真を取り出した。

１枚《まい》は、背中《せなか》にナイフが刺《さ》さったままうつぶせに倒《たお》れているおじの写真。

「リュウザキさんはベッドに倒《たお》れた。ですが……ほら、ベッドのわきに右手をさしこんでいますよね。最後の力をふりしぼって、犯人《はんにん》の手がかりを残したんです。」

心臓《しんぞう》がドクン、と高鳴る。

「推理《すいり》小説によくある、ダイイング・メッセージというわけですか？」

ナガイ警部《けいぶ》が次に見せたのは、息絶《いきた》えたおじをあお向けにした写真だった。ピースサインかと思ったが、ちがった。その右手は、人差し指、中指、薬指の３本の指を立てている。

「ええ、このサインは何かを伝えていると思うんです。」

オレは、ポンと手を打った。

『3』だから……つまり、ニカイドウミツコさんのことだ！」

「なるほど。ミツコさんだから『3』だと？　ですが、ニカイドウミツコさんなら、『2』を示《しめ》すはずでは？」

「おじは最近、彼女《かのじょ》のことを『ミツコさん』と呼《よ》んでいたんですよ。ニカイドウさんは第一発見者ですし。」

ナガイ警部《けいぶ》は、口ひげをひねった。

「確《たし》かに、第一発見者を疑《うたが》うのは捜査《そうさ》の鉄則《てっそく》です。でも、ニカイドウさんは、本当に親身になってリュウザキさんの看病《かんびょう》をしていたという証言《しょうげん》が多い。しかも、弁護士《べんごし》によれば、ニカイドウさんは多額《たがく》の遺産分配金《いさんぶんぱいきん》をもらうことを辞退《じたい》しようとしていたそうなんです。」

オレは、くちびるをかんだ。

「あ、『3』の意味は……犯人《はんにん》は3人いるという意味じゃないですか？　容疑者《ようぎしゃ》のうち、わたし以外の3人か。あるいは、オイヌマさん、フジタさんがだれか協力者を得《え》てやったかもしれません！」

「ふむ、ワダさんはなかなか名探偵《めいたんてい》のようだ。ほかに、何か思いつくことがあったら教えてくださいよ。」

「いや、もう何も思いつきませんね。」

こう言うと、ナガイ警部《けいぶ》は3本の指を立てて、オレの顔をのぞきこんだ。

「ワダさん。リュウザキさんの秘書《ひしょ》をやっていたあなたが、ほかの可能性《かのうせい》を思いつかないはずはないでしょう。あなたがやったんですね？」

オレは目をふせた。ナガイ警部《けいぶ》は……思ったよりバカではなかったようだ。


ナガイ警部《けいぶ》は、被害者《ひがいしゃ》の手のサインから主人公が犯人《はんにん》だと見破《みやぶ》った。なぜ、主人公が犯人《はんにん》だとわかったのだろうか。

解説《かいせつ》

被害者《ひがいしゃ》のリュウザキ氏は、耳が聞こえず話すことができないため、ふだんは手話を使っていた。手のひらを相手の側に向けて「人差し指、中指、薬指の3本の指を立てた」サインは、手話の五十音で「わ」を意味する。つまり、ワダのことを示《しめ》しているのだ。

また、主人公は、「リュウザキ氏とはあまり会う機会がない」と言っているわりには、「家政婦《かせいふ》を最近『ミツコさん』と呼《よ》んでいた」ことを知っているなど、発言に矛盾《むじゅん》がある。かつて、主人公はリュウザキ氏の秘書《ひしょ》を務《つと》めていた時期がある。手話ができるはずなのに「3」ばかりを強調し、「わ」についで何もふれないことを、ナガイ警部《けいぶ》はあやしんだのである。

追《つ》い詰められた主人公は犯行《はんこう》を自白し、事件《じけん》は解決《かいけつ》した。

03

脱獄囚《だつごくしゅう》を探《さが》せ!

失敗↓なぜ?

「Z《ゼット》刑務所《けいむしょ》から、無期懲役《むきちょうえき》の囚人《しゅうじん》が脱獄《だつごく》して逃走中《とうそうちゅう》」——このニュースは日本中の人々《ひとびと》をふるえ上がらせた。なにしろ脱獄囚《だつごくしゅう》のA《エー》という男は、有名な連続強盗殺人事件《ごうとうさつじんじけん》を犯《おか》した男なのだ。逃走中《とうそうちゅう》、また同じような犯罪《はんざい》に手を染《そ》める可能性《かのうせい》がないと言えるだろうか?

民間から寄《よ》せられた多くの情報《じょうほう》を分析《ぶんせき》した結果、彼《かれ》はZ《ゼット》町に潜伏《せんぷく》しているとみられていた。警察《けいさつ》はすぐさま包囲網《ほういもう》を敷《し》き、捜査班《そうさはん》は聞きこみ調査《ちょうさ》を開始した。

ノダ警部《けいぶ》は、部下のカワモト警部補《けいぶほ》がポケットから何度もA《エー》の顔写真を出して確認《かくにん》しているのを見とがめてささやいた。

「おい、それはしまっておけ。そんなにソワソワすると目立つぞ。」

「あ、すみません。」

カワモトはかなり緊張《きんちょう》しているようだ。ノダは自動販売機《はんばいき》の前で立ち止まると缶《かん》コーヒーを買い、カワモトに差し出した。

「やつは2000年から獄中《ごくちゅう》生活を送っていたわけだ。20年以上たつと、社会の暮《く》らしぶりは大きく変化するものだ。たとえばその間に携帯電話《けいたいでんわ》、スマートフォンの所持率《しょじりつ》が急増《きゅうぞう》し、公衆電話《こうしゅうでんわ》は減少《げんしょう》したし……。気をつけていても、どこかおかしな行動をとってしまうはず。それを見逃《みのが》さないことが大事なんだ。」

「なるほど。きっと浦島太郎《うらしまたろう》みたいな気分でいるんでしょうね。」

「というわけで……この地域《ちいき》を重点的にマークしているのですが、昨晩《さくばん》からこちらのお店に不審人物《ふしんじんぶつ》は来ていないでしょうか？」

ノダが説明を終えると、コンビニの店長はニヤニヤ笑った。

「そう言われてもねぇ。不審《ふしん》な客なんて毎日来るよ。あんたらは知らないだろうけど、世の中、常識《じょうしき》のない人って多いんだからね。そんなのいちいち覚えてないよ。」

店長はそう言うと、大あくびをした。昨晩《さくばん》から今まで夜勤《やきん》をしていたというから眠《ねむ》いのだろう。

「お疲《つか》れのところ申《もう》し訳《わけ》ありません。そこをなんとか、思い出してみていただけませんか。どんな小さな違和感《いわかん》でもいいんです。」

2人がていねいに頭を下げると、店長は腕組《うでぐ》みをして口を開いた。

「参考になるとは思えないけどね……。」


店長は、3人の男性客《だんせいきゃく》のことを話してくれた。

「1人目は『速達を出してくれ』って言って大きい封筒《ふうとう》を持ってきた男だね。『うちは郵便局《ゆうびんきょく》じゃないので郵便物《ゆうびんぶつ》をお預《あず》かりすることはできません。切手は売ってますが』と説明したら、『切手は売ってるのに、どうして出してくれないんだ』って。納《なっ》得《とく》できなかったみたいで、怒《おこ》って帰っちゃったね。

2人目は、100円のおにぎりをレジに持ってきた男。105円を置いて出ていこうとするわけ。あわてて『5円足りないんですが』って言ったら、何も言わずに棒立《ぼうだ》ちになってね。結局、おにぎりは置いて、お金をサッと回収《かいしゅう》して帰っていったよ。

3人目は、缶《かん》ビールを数本カゴに入れてきた男。合計金額《きんがく》を伝えたら、1円玉がどっさり入ったビンをレジに置いて『これで払《はら》います』って言うの。まいっちゃうよ。おまわりさん、支払《しはら》うときに『同じ硬貨《こうか》は1種類につき20枚《まい》まで』って、法律《ほうりつ》で決まってるの、知ってる？　20枚《まい》より多いと受け取りを拒否《きょひ》できるんですよ。そう説明したら、レジ台をけっとばして帰っちゃった。

まあ、こんなことは日常茶飯事《にちじょうさはんじ》なんだけどね……。」

メモを取りながら聞いていたノダは、ポンとひざをたたいた。

「大変貴重《たいへんきちょう》なお話でした。ご協力に感謝《かんしゃ》します。つきましては、店内に設置《せっち》されている防犯《ぼうはん》カメラの映像《えいぞう》を確認《かくにん》させていただきたいのですが。」

店長は驚《おどろ》いて、ノダの顔をのぞきこんだ。

「この中に脱獄囚《だつごくしゅう》がいたかもしれないと思うんですか？」

「その可能性《かのうせい》はあると考えています。防犯《ぼうはん》カメラで確認次第《かくにんしだい》、この近辺の家を重点的に調べることになるでしょうね。」

ノダがあやしいとにらんだのは、①速達を頼《たの》んだ男、②5円足りなかった男、③1円玉で支払《しはら》いをしようとした男。このうちだれなのか。その理由はなんだろうか。

解説《かいせつ》

ノダが疑《うたが》いを持ったのは、2人目のおにぎりを買うときに5円足りなかった男だ。この男は、100円のおにぎりは「消費税《しょうひぜい》を入れて105円」だと思ったために、レジにきっかり105円を置いた。ノダは、この行動は「男が『消費税《しょうひぜい》が5%《パーセント》』だったころ」の習慣《しゅうかん》が身についているためだと判断《はんだん》したのだ。

日本で初めて消費税《しょうひぜい》が導入《どうにゅう》されたのは1989年で、当時は3%《パーセント》。この後、1997年に5%《パーセント》、2014年に8%《パーセント》となり、2021年11月現在《げんざい》は10%《パーセント》。

A《エー》が獄中《ごくちゅう》生活を送り始めたのは2000年。これ以前に習慣化《しゅうかんか》していた「100円のおにぎりを105円ぴったり出して買う」行動が、つい出してしまったのである。獄中《ごくちゅう》でもニュースにふれることはできるので、消費税《しょうひぜい》が上がったことは知っていたかもしれない。しかし、身についた常識《じょうしき》はなかなか改められないものである。

防犯《ぼうはん》カメラの検証《けんしょう》結果からこの男はA《エー》と特定された。近隣《きんりん》地域《ちいき》をくまなく捜査《そうさ》し、A《エー》はほどなく身柄《みがら》を拘束《こうそく》されたのである。

04

ねらわれた美術店《びじゅつてん》

危機《きき》↓なぜ？

その朝、いつもの路地にさしかかったローラン氏は、人だかりに気づいて眉《まゆ》をひそめた。

(何かあったのか。まさか、うちの店に……？)

「通してください。ここはわたしの店なんだ。」

ローラン氏が人をかき分けて進み出ると、警察官《けいさつかん》と目が合った。地面にはガラスの破片《はへん》が散らばり、店のショーウインドーには大きな穴《あな》があいている。

「なんだ、これは……。」

ショックのあまりよろめいたローラン氏を、警察官《けいさつかん》たちが気の毒《どく》そうに支《ささ》えた。

「あなたがこの店の店主ですか？　わたしは本件《ほんけん》を担当《たんとう》するガブリエルです。」

主任警部《しゅにんけいぶ》のガブリエル氏はローラン氏に身分証《みぶんしょう》の提示《ていじ》を求めると、部下たちに店内の現場検証《げんばけんしょう》を命じた。

「じつは最近、市内で美術品《びじゅつひん》をあつかう店の盗難事件《とうなんじけん》が続発しているんです。ショーウインドーの破《やぶ》り方が同じなので、おそらく同じ犯人《はんにん》ではないかと。」

「もしかして、あの……名画のコレクターといわれる怪盗《かいとう》ノワールの犯行《はんこう》だと？」

ローラン氏がたずねると、ガブリエル氏は軽くうなずいた。

「わたしはそうにらんでいます。もちろんしっかり調べてみないと、言い切れませんがね。では、ローランさん、店内をいっしょに確認《かくにん》してください。」

ローラン氏は、警部《けいぶ》たちとともに店内をくまなく調べた。しかし、店内に展示《てんじ》された絵画はすべて無事だった。世界的な巨匠《きょしょう》の作品もあるというのに……。

「怪盗《かいとう》ノワールをまねたいたずらかも？　現金《げんきん》をねらったコソドロのしわざかもしれませんね。ここには売り上げ金は置いていませんから、当てがはずれたでしょう。ともかく絵が盗《ぬす》まれなくてよかった。」

ローラン氏はホッとしたように言った。

「ええ、ローランさんのおっしゃる通りかもしれません。でも、わたしはもうひとつ、別の可能性《かのうせい》を思いつきましたよ。どろぼうに入られるとは本当に不運でしたね。」

ガブリエル氏がそう言うと、ローラン氏は腕時計《うでどけい》に目をやった。

「大変《たいへん》だ。このあと、面会の約束があったんです。この場はひとまずおまかせしてもいいでしょうか。」

「いけません。ローランさんにはもう少々《しょうしょう》、おうかがいしたいことがありますから。」

ガブリエル氏は、ローラン氏の腕《うで》をしっかりとつかんだ。


ガブリエル氏は、被害者《ひがいしゃ》であるローラン氏にどんな疑《うたが》いを持っているのだろうか。ガブリエル氏の言葉から、推理《すいり》してみてほしい。

解説《かいせつ》

ガブリエル氏は、ローラン氏に「どろぼうに入られるとは本当に不運でしたね」と言っている。この言葉の真意は、「名画をねらって店に入ったはずのどろぼうが何も盗《ぬす》んでいかなかった」——すなわち、「この店の絵画に価値《かち》がないことが証明《しょうめい》された」ということである。

検証《けんしょう》によって店にある絵画はすべて巧妙《こうみょう》にコピーされたニセモノであるとわかり、このあと、ローラン氏は逮捕《たいほ》されたのである。

05

酒蔵《さかぐら》の町

危機《きき》→逆転《ぎゃくてん》？

そろそろ年も終わりに近づいたころ、わたしは中国地方のとある町を訪れていた。それというのも、長年追い続けている指名手配犯《しめいてはいはん》のナガヨシという男がこの町に潜伏《せんぷく》しているという情報《じょうほう》が入ったためである。

半年ほど前に、ナガヨシは東北地方で目撃《もくげき》されたが、このときはあと一歩までせまりながら、タッチの差で取り逃《に》がしてしまったのだ。

今度こそは、なんとしてもナガヨシを逮捕《たいほ》しなければならない。

この町は、古くから酒造《さけづく》りが盛《さか》んである。

酒造《さけづく》りは、新米が収穫《しゅうかく》された秋口からスタートする。この時期になると、全国各地から酒造《さけづく》りの仕事を行う人々《ひとびと》が集まってくる。「杜氏《とうじ》」と呼《よ》ばれるリーダーが、部下にあたる「蔵人《くらびと》」たちを集めたグループを率《ひき》いて、契約《けいやく》している酒蔵《さかぐら》に働きにやってくるのだ。

それぞれの地元で農業や漁業を営《いとな》んでいる人たちが、半年間だけ酒造《さけづく》りに従事《じゅうじ》し、春になると帰っていくというわけ。うまくできたシステムだ。

つまり、今のシーズン、この小さな町にはヨソ者がたくさん流れこんでいることになる。ナガヨシがそのことを知っていてここに来たのかはわからないが、「ふだん見かけない人」を探《さが》し出すのは、よけいに難《むずか》しい状況《じょうきょう》だ。

とにかく不審《ふしん》な人物がいないか、急いで聞きこみを進めなくては。逃亡犯《とうぼうはん》には、整形手術《せいけいしゅじゅつ》で顔を変えている人も多いから、かんたんには見つからないだろうし。うかうかしていると、ほかの町に移動《いどう》してしまうかもしれないし。

次の日の夜。

まる1日歩き回って疲《つか》れはてたわたしは、小さな定食屋ののれんをくぐった。

カウンター席に落ち着くと、「本日のおすすめ」プレートから適当《てきとう》にみつくろう。

「赤魚の煮《に》つけ定食。それから揚《あ》げ豆腐《どうふ》と……。」

それから、となりの席で納豆《なっとう》をかきまぜている1人客に、なにげないふうをよそおって「もしかして、酒蔵《さかぐら》にお勤《つと》めの方ですか？」と話しかける。

男は、納豆《なっとう》の小鉢《こばち》から目をはなさずに、「はい」とだけ答え、話に乗ってこない。

だが、わたしは気にせず話を続ける。なにげない世間話の中で、小さな手がかりが得《え》られたりするものだからな。

「わたし、車の営業《えいぎょう》マンなんですが、最近この地域《ちいき》の配属《はいぞく》になったばかりでね。どちらにお勤《つと》めなんですか？」

今度はさすがに、無視《むし》されてしまった。

「いや、失礼しました。車を売りつけようっていうんじゃなくて、個人的《こじんてき》に……おすすめの酒蔵《さかぐら》を知りたかったんですよ。この町にはたくさんありすぎて、どこのお酒をいただこうか迷《まよ》っちゃってね。」

すると、店主がここぞとおすすめの日本酒についてしゃべり始めたので、それを頼《たの》む。話をはずませようと、となりの男に酒をすすめたが、やっぱり断《ことわ》られた。

「酒蔵《さかぐら》って住みこみなんでしょ？　今は、しこみがいそがしい時期ですよね。今日はお休みですか？」

「ええ。」

おっと……うっかりすると、すぐに刑事《けいじ》っぽい質問《しつもん》のしかたになってしまう。まだまだ演技力《えんぎりょく》が足りないな。

「ところで休日に遊びに行くのに、この辺でどこかいいところありませんか？」

「温泉《おんせん》か、パチンコくらいですかね。」

男はぶっきらぼうに言うとお茶を飲みほして立ち上がった。

あーあ、コミュニケーションは失敗か。

エプロンをした女の子がとなりの席の器を下げに来たとき、わたしはハッとした。

なんでもっと早く気づかなかったんだ！

わたしはあわてて立ち上がり……会計をすませて出ていこうとする男の腕《うで》をつか

むと、刑事《けいじ》の名刺《めいし》を出して言ったのだ。
「じつはわたし、こういう者なんですが。もう少し、お話をうかがわせてもらえませんか。」

主人公は、この男が逃亡犯《とうぼうはん》だとにらんだ。この男の言動におかしなところがあると気づいたためだが、それはどんなことだろうか。

解説《かいせつ》

酒蔵《さかぐら》で働く人は、酒造《さけづく》りの期間中に納豆《なっとう》を食べることはない。追及《ついきゅう》するとこの男は酒蔵《さかぐら》には勤めておらず、主人公の探《さが》していた逃亡犯《とうぼうはん》だと白状《はくじょう》した。

日本酒は、蒸《む》した米に麹菌《こうじきん》を繁殖《はんしょく》させ、アルコール発酵《はっこう》をさせてつくられる。微《び》生物《せいぶつ》の力を借りているので、酒蔵《さかぐら》に、関係のない微生物《びせいぶつ》を持ちこむのは厳禁《げんきん》なのだ。もちろん、酒蔵《さかぐら》で使う道具は熱湯で殺菌《さっきん》されているが、納豆《なっとう》にふくまれる納豆《なっとう》菌《きん》は高温に強く、熱湯で煮沸《しゃふつ》しても完全には殺《ころ》せない。

もし、酒蔵《さかぐら》の麹《こうじ》に納豆菌《なっとうきん》が混《ま》ざると、麹菌《こうじきん》より早く繁殖《はんしょく》が進んでヌメヌメした麹《こうじ》になったり、味に大きな影響《えいきょう》が出てしまう。だから、酒造《さけづく》りのシーズン中、酒蔵《さかぐら》では納豆《なっとう》のほか、乳酸菌《にゅうさんきん》（ヨーグルトや漬物《つけもの》など）をふくむ食べ物は出ない。菌《きん》は目に見えないほど小さく、手や衣服にくっついている可能性《かのうせい》がある。休日に外食するとしても、発酵食品《はっこうしょくひん》を食べるのはリスクが高すぎるのだ。

06

イケメンになったどろぼう

失敗↓なぜ？

男も美容整形《びようせいけい》をすることが、珍《めずら》しくない時代でよかった。

貴金属店《ききんぞくてん》に強盗《ごうとう》に入ったとき――オレは防犯《ぼうはん》カメラを意識《いしき》して、ニットの目出し帽《ぼう》をかぶっていた。目と口のところだけ穴《あな》があいていて、あごまですっぽりかくれるやつ。さらに、マスクの上からサングラスをかけていた。

ところが、獲物《えもの》を手に入れて逃《に》げようとしたとき、さっきまでびびり上がってた店員に後ろからニット帽《ぼう》をつかまれ、サングラスもろともぬげてしまったんだ。

そのまま逃《に》げ切ることには成功した。でも、オレの顔は防犯《ぼうはん》カメラにバッチリ映《うつ》ってしまったはずだ。とっさに、防犯《ぼうはん》カメラの位置から顔をそむけたけど……最近の防犯《ぼうはん》カメラは高性能《こうせいのう》だからなぁ。

そこで、オレは指名手配書が出回る前に、さっさと整形手術《せいけいしゅじゅつ》を受けることにした。んだ。

タレ気味で一重《ひとえ》の細い目は、パッチリした二重《ふたえ》まぶたにしてもらった。どうせなら「理想のイケメンになりたくて来ました!」っていう男を演《えん》じきろうと、フランスの俳優《はいゆう》の写真を見せて「こんなふうに鼻すじが通った形にしてください」とお願いした。

担当《たんとう》の整形外科医は腕《うで》がよくて、なかなかのイケメンにしあがった。子どものころからほぼ坊主頭《ぼうずあたま》だったが、これからは髪《かみ》をのばしてみようかな。あの俳優《はいゆう》みたいに、ゆるいパーマなんかかけたりして。

そんなことを考えたら楽しくなって、今まで入ったことのないファッションビルに足が向き、店員にすすめられるまま、いまどきの若者《わかもの》っぽい服を買っていた。店員に「ミュージシャンっぽいですね」なんて言われて、まんざらでもない気分だ。

金はあるし、顔はいいし……これからはモテてしょうがないかも!?

顔に加えて、ファッションのせいで雰囲気《ふんいき》も別人のように変わったので、オレは、すっかり安心して過《す》ごしていた。

まさか、逮捕《たいほ》されるとは思わなかった。

しかも、刑事《けいじ》に声をかけられたとき……そいつが手にしていたのは、あの日、防《ぼう》犯《はん》カメラに映《うつ》っただろう――今のオレとは似《に》ても似《に》つかない男の顔が印刷された、指名手配書だったのに！


警察官《けいさつかん》が持っていた指名手配書に印刷されていたのは、主人公とはまったく別人のような顔。警察官《けいさつかん》は何を手がかりに、同一人物だとにらんだのだろうか。

解説《かいせつ》

指名手配書には、主人公の正面からの顔と横顔が印刷されていた。警察官《けいさつかん》は、主人公の耳の形に注目し、指名手配書の男と同じ人物だと確信《かくしん》したのである。

じつは、防犯《ぼうはん》カメラの映像《えいぞう》をもとに人物を特定するとき、「耳」はかなり重要な手がかりとされている。ふだん、わたしたちは正面向きの顔ばかり見ているので気づきにくいが、耳は人によってかなり形がちがうのだ。家族や友人など、まわりの人の耳の形を見くらべてみよう。

07 やっかいな上司

危機《きき》→逆転《ぎゃくてん》？

♪♪♪♪♪♪♪♪〜

「はい、ヤナギハラです。」

習慣《しゅうかん》というのはおそろしいものだ。

今日から1週間の夏休み。その間は、課長からの電話には絶対《ぜったい》出ないと決めていたのに、うっかり出てしまった！

どうしても必要な、急ぎの要件《ようけん》ならしかたがないけど……。

課長は、どうでもいいような用事とか、自分で調べられるようなことでも、すぐに電話してくる。そして、休日だろうがおかまいなしに仕事を押《お》しつけてくる、とても評判《ひょうばん》の悪い人物なのだ。

しかも、メールでもなく電話をしてくる。出ないと、何度もかけ直してくるからタチが悪い。

オレはこれから出かけるところだったのだが……残念ながらまだ家の中にいた。一瞬《いっしゅん》、「すいません、今、飛行機に乗るところなんで話せません」と言おうかと思ったが、さすがにウソくさすぎるよな。

そういえば、昔、小説でこういうのを読んだことがある。机《つくえ》に置いた電気ひげそりがバラバラとやかましい音を立てるのを利用して「今、ヘリコプターに乗ってる」と、電話先の相手をだます……っていう。

オレがだまっている間に、課長は勝手にしゃべりまくっている。

「旅行に行くって言ってたけど、まだ家にいるんでしょ？　半年前にヤナギハラくんが作ってくれたA《エー》社の資料《しりょう》、どっかにあるはずなんだけど探《さが》すの面倒《めんどう》だし、送ってくれないかな。ねえ、聞いてる？　ついでに、その後の売り上げ情報《じょうほう》も新しく加えて……出る前にちゃっちゃと作っちゃってくれない？　30分もあればできるよね。ヤナギハラくん、聞いてる?」

そのとき、オレはこの場を切りぬけるアイディアを思いついたんだ。

ツー、ツー、ツー……。

1分後、課長が電話を切ったのを確認《かくにん》すると、オレはスマートフォンの電源《でんげん》をオフにした。さあ、この1週間は、仕事のことは忘《わす》れてのびのび過《す》ごすぞ!


主人公は「できません」と言ったわけではない。課長に頼《たの》みごとをあきらめさせるために、どのような作戦をとったのだろうか。

解《かい》説《せつ》

ヒントになったのは、課長の「ねえ、ヤナギハラくん、聞いてる？」という言葉だ。主人公は、このあと「もしもし？　もしもし？　もしもし？　おかしいな、聞こえませんよ！」とひたすら言い続けて、課長の言葉が聞こえていないふりをした。課長はあきらめて、自分から電話を切ったのである。

電波の状況《じょうきょう》が悪い、周辺に妨害電波《ぼうがいでんぱ》などが発生する、またスマートフォンの故障《こしょう》などの理由で、相手の声が聞こえなくなる障害《しょうがい》が発生するのはよくあることだ。電話を切ったあとは、電源《でんげん》をオフにする。そうすれば、またかけ直してこられても「おかけの電話は、電源《でんげん》が入っていないか電波が届《とど》かないところにいるためかかりません」とのアナウンスが流れるだけである。

08

失われた尺八《しゃくはち》

危機《きき》→逆転《ぎゃくてん》？

初めて降《お》りたった駅のホームで、わたしはぼうぜんとしていた。
まいったなぁ。
そもそも、うっかり電車の中でうたた寝《ね》をしてしまった自分が悪いのだが……。
「次はP《ピー》駅、P《ピー》駅に停《と》まります」と、目的の駅を告《つ》げる車内アナウンスが聞こえて
ハッと目覚めたとき、大事な尺八《しゃくはち》のケースがなくなっているのに気づいたのだ。
これから、中学校の特別授業《じゅぎょう》で、尺八《しゃくはち》の演奏《えんそう》を披露《ひろう》することになっているのに。
どうしたらいいんだろう⁉

警察《けいさつ》や駅の遺失物係《いしつぶつかかり》には連絡《れんらく》をした。

あんなに大きいケースを自分の荷物とまちがえて持っていく人はいない。

わたしが眠《ねむ》りこんでいる間に、だれか悪いやつが盗《ぬす》んだんだろう。

犯人《はんにん》が見つかって大事な楽器が手元にもどってくればいいが……問題は今、どうするかだ。

わたしは腕時計《うでどけい》をながめた。11時30分。

調べたところ、中学校までは歩いて10分くらいの距離《きょり》だ。

演奏《えんそう》を始めるのは午後1時半からで、中学校には午後1時までに着けばいいことになっている。

見知らぬ土地を楽しみたいから、駅に着いたらぶらぶらして、早めの昼ごはんでも食べてゆっくり向かおうと思っていたんだ。

演奏《えんそう》開始まであと2時間。

家にあるほかの尺八《しゃくはち》を届《とど》けてもらうとしてもギリギリだし……そもそも妻《つま》は用事で出かけていて家にいない。

尺八《しゃくはち》のような和楽器は、その辺りの楽器屋さんに売っているものではない。念のため、スマートフォンで検索《けんさく》して、近辺にある楽器屋を調べてかたっぱしから電話してみたがやっぱり尺八《しゃくはち》をあつかっている店はない。

「だれか尺八《しゃくはち》を持っている人がいたら貸《か》してくれませんか?」と聞いて回るわけにもいかないし。聞いたところで、望みはうすいだろう。

知り合いの尺八《しゃくはち》の演奏家《えんそうか》の顔を思いうかべたが、2時間以内に来られる場所に住んでいる人はいない。

う~ん。正直に事情《じじょう》を話すしかないか。

もう1人、琴《こと》の演奏家《えんそうか》の女性《じょせい》が出演《しゅつえん》することになっているから、延期《えんき》ってわけにはいかないだろうな。

ノコノコ出かけていって「居眠《いねむ》りしていて楽器をとられてしまいました」なんて言うのは、どうにもカッコ悪い。

いっそ電話をして「急に具合が悪くなって行けなくなりました」とでも言ったほうがマシかなぁ。

できることは全部やったし、この状況《じょうきょう》を打開する策《さく》もないので、わたしは商店街を歩き始めた。

とりあえず、昼ごはんを食べよう。

それにしても、食事ができそうな店がなかなか見つからない。

八百屋《やおや》に魚屋、花屋ときて……そのとなりは、昆布《こんぶ》や干《ほ》しシイタケなんかを並《なら》べた乾物屋《かんぶつや》だ。

緑茶のいい香りがするお茶の専門店《せんもんてん》、たこ焼き屋……。

ようやくチェーン店の牛丼屋《ぎゅうどんや》、回転寿司屋《かいてんずしや》、立ち食いそば屋がかたまっている一角にさしかかったが、あまり食欲《しょくよく》をそそられない。

プーンとおいしそうなダシの香りがしてきた。

ふと見ると、カマボコやハンペンなんかを売っている練り物屋の店先でおでんを売っている。座《すわ》って食べられるスペースもある。これにしよう！

昆布《こんぶ》と卵《たまご》、ウインナー巻《ま》き、ちくわ、大根、ハンペン、がんもどき、こんにゃく、つみれ、じゃがいも。好きなものを思いっきり頼《たの》んだ。

うん、うまいなぁ。

困《こま》ったときは、おいしいものを食べるにかぎる。

店先のイスに座《すわ》って大好物のおでんをほおばっているうちに、さっきまでは思いもつかなかったアイディアがうかんできたんだ。


主人公は、尺八《しゃくはち》の代わりになる何かを見つけたようだ。どんな方法を思いついたのだろうか。

解説《かいせつ》

主人公はこのお店で、まだ煮《に》こんでいない長めのちくわを数本買った。そして、カッターで吹《ふ》き口を作り、ペンのキャップで指穴《ゆびあな》をあけて尺八《しゃくはち》の代用品となる「笛」を自作したのだ。

「自作のちくわ笛」をみごとに吹《ふ》きこなす演奏家《えんそうか》がいるのは本当の話。民謡《みんよう》、尺八《しゃくはち》の専門家《せんもんか》である住宅正人《すみたくまさと》さんという人だ。彼《かれ》はほかにもバナナやソラマメ、レンコンなどさまざまな食材を試しているそう。短めのちくわなら穴《あな》はあけずに、吹《ふ》きながらちくわを指でつぶしたりして音程《おんてい》を調整するという。

主人公は中学生たちの前でわけを話し、ちくわ笛の演奏《えんそう》を披露《ひろう》したところ大かっさいを浴び、面目を保《たも》ったのである。

09

人は見かけで判断《はんだん》される

危機《きき》→逆転《ぎゃくてん》？

「サクラさん、だいじょうぶ？」

従業員控《じゅうぎょういんひか》え室《しつ》で先輩《せんぱい》のイチカワさんに声をかけられると、サクラさんは涙《なみだ》をぬぐってふり向いた。

「だいじょうぶです。これくらいのことで泣くなんてはずかしいです。」

イチカワさんは、サクラさんに温かい紅茶《こうちゃ》のペットボトルを差し出した。

「まあお茶でも飲んで落ち着いて。サクラさん、全然悪くないから。うちのスーパーマーケットも最近ひどいクレーマーが増《ふ》えてきたよね。」

店員のちょっとしたミスを見つけて激《はげ》しく非難《ひなん》したり、言いがかりをつけたり……あやまってもしつこくどなり続けるような人を「クレーマー」という。

ついさっき、サクラさんは運悪くそんなクレーマーにつかまってしまったのだ。

そのおじさんは「いつも買ってるメーカーのクリームパンがない」と一方的に怒《おこ》り、「あやまり方が悪い」とケチをつけ、何度もサクラさんに頭を下げさせて帰っていった。しかも、帰りぎわには、胸《むね》の名札を見て「あなた、サクラさんていうんだね。覚えとくよ」と言って……。

イチカワさんはため息をついた。

「ああいう人って、ストレスのはけ口がないんだろうね。でも、実際《じっさい》は小心者なんだよ。男子にはからんでこないもん。」

ちょうどそのとき、控《ひか》え室《しつ》に入ってきたタシロくんが口をはさむ。

「あの～、ぼくもけっこうからまれますよ。体格《たいかく》がヒョロヒョロだからかな。」

サクラさんは顔を上げて言った。

「わたし、ナメられがちなんですよ。駅で、すれちがいざまにわざと肩《かた》をぶつけられたことも何回かありますし。でも、おもしろいことに、髪《かみ》を金髪《きんぱつ》にしてたときは全然そういうこと、なかったんですよ。強そうに見えたのかなって。」

タシロくんは深くうなずいた。

「やっぱり人は第一印象《だいいちいんしょう》で判断《はんだん》されるってことなんだ。何か、強そうに見せる方法ってないですかね。制服《せいふく》のデザインを変えるとか？」

「そうね。制服《せいふく》は無理でも、名札くらいなら変えられるかもね。」

やがてイチカワさんが提案《ていあん》したアイディアが採用《さいよう》されると、このスーパーマーケットでのクレーマー客は激減《げきげん》したという。

イチカワさんはどんなアイディアを考えついたのだろうか。

解説《かいせつ》

スーパーマーケットなどでは、店員さんが胸《むね》に名札をつけていることが多い。イチカワさんのアイディアは、名札に記すみょうじを、強そうな印象《いんしょう》のものに変えるというものだった。

そもそも、お店で実名を公開することにはリスクがある。個人情報《こじんじょうほう》をさらすことになるからだ。実際《じっさい》、みょうじを手がかりにストーカーにほかの情報《じょうほう》を調べられてつきまとわれたり、ネット上に書きこまれたりするトラブルが起こっている。

一方、名札を廃止《はいし》すると困《こま》ることもある。お客さんが「あの店員さんに感謝《かんしゃ》しています」とか「あの店員さんの態度《たいど》はいかがなものか」といった意見を店に伝えるとき、名前がわからないと困《こま》ってしまう。でも、その場合、本当のみょうじでなくてもかまわないのでは⁉

この提案《ていあん》には店長も賛成《さんせい》し、店員たちは相談し合って「鬼塚《おにづか》」「金剛寺《こんごうじ》」「嵐山《あらしやま》」「黒岩《くろいわ》」「猪熊《いのくま》」など、強そうなイメージのみょうじをつけることにしたのである。

10

楽しい川釣《かわづ》り

危機《きき》↓逆転《ぎゃくてん》？

近所の川でのんびり釣《つ》り糸をたらし……釣《つ》った獲物《えもの》をその場でかんたんに料理して食べる。クーラーボックスには、何本か缶《かん》ビールも用意して。携帯《けいたい》プレーヤーで音楽を流したり、昼寝《ひるね》したり。

夏の一日を、１人でこんなふうに過《す》ごすのが好きだ。自分のペースでゆったりやれるからね。

「あっち～っ！　油がはねた！」

おどけたような声、大きな笑い声がして……オレは小さくため息をついた。

ほんの数メートルはなれたところに陣取《じんど》っている男3人のグループは最近、よくここにやってくる。見たところ、大学生くらいかな。

場所を変えようかとも思ったけど、それも気まずいよな。

かかわるつもりはないけど——この間は、あいつらがカセットコンロの火をつけっぱなしで、全員どこかに行ってしまったのに気づいたんで、さすがに注意しないわけにいかなかったんだ。

もし事故《じこ》でも起きたら、このあたりで火を使うのが禁止《きんし》されちゃうから、迷惑《めいわく》なんだよ！

あいつらが川辺にカセットコンロを持ちこんで、おっかなびっくり料理をしてるのはまちがいなくオレの影響《えいきょう》だ。1か月くらい前に、オレが、1人で小鍋《こなべ》で調理してるのをのぞきこんで、「おじさん、カッコいいね」「オレたちもこういうのやろうよ」って盛《も》り上がってたからさ。

あいつらは、料理道具を持ちこんではきたものの、アウトドア料理のやり方を調べたりはしてないらしい。それが聞こえてくる会話からもわかるから、こっちはイライラする。早くここにあきて、来なくなりますように。

今日は、夕方にテナガエビを釣《つ》った。テナガエビは、小型《こがた》の川エビの一種で、素《す》揚《あ》げにするとうまいんだ。下ごしらえナシで、そのまま揚《あ》げるだけでいいからカンタンこの上ない。

小鍋《こなべ》でカラリと揚《あ》げたテナガエビが、皿に山盛《やまも》りになった。塩をパラッとふりかけて完成だ！

カセットコンロの火を止めて、小鍋《こなべ》を地面に下ろすと、鍋《なべ》の中に油をかためる凝《ぎょう》固剤《こざい》を入れておく。

これを食ったら、ぼちぼち帰るかな。

あ、そういえば、川にしかけ網《あみ》を入れっぱなしだった。あれを回収《かいしゅう》しなくちゃ。

ほんの少し、その場をはなれた間のできごとだった。

もどってくると、オレのテナガエビは１匹《ぴき》残らずなくなっていたんだ。

男3人グループの方を見ると、やつらは口をモグモグさせている。

証拠《しょうこ》がなくなる前にかけ寄《よ》ると……やっぱり。

紙皿に、テナガエビの素揚《すあ》げがのっているじゃないか。

「おい、人のものを盗《ぬす》むなよ！」

「盗《ぬす》んでないです。ぼくたちが獲《と》って、料理したんですよ。」

青いキャップをかぶった男の子がニヤニヤしながら、人差し指でカセットコンロの上の鍋《なべ》を示《しめ》す。ちょうどよく、オレと同じようにテナガエビを獲《と》ったって言うのか？　絶対《ぜったい》ウソだろ！

「どうやって獲《と》ったんだ？　釣《つ》りざおもないじゃないか。」

「網《あみ》で獲《と》ったんですよ。」

キャップ帽《ぼう》はしゃあしゃあと言った。うん……まあ、テナガエビは確《たし》かに小さい網《あみ》でも獲《と》れる。しかし、引き下がるわけにはいかない。

「どこで獲《と》ったか、言ってみろよ。」

「そこの岩の上で遊んでたら、岩の間に赤いのがチョロチョロしてるのが見えたから、急いで網《あみ》を持ってきて獲《と》ったんですよ。」

結局、3人は盗《ぬす》んだことを認《みと》めた。問い詰《つ》めると、「ふざけすぎました」とマジメにあやまったから通報《つうほう》はしないことにした。

それからじっくり話しているうちに、3人が純粋《じゅんすい》にオレをうらやましく思っていることがわかったので、来週は釣《つ》りを教えてやることになった。まあ、1人だと不便なこともあるからな。仲間がいれば、こんな目にあうこともなくなるだろう。

主人公は、なぜ男の子たちが「盗《ぬす》んだ」ことを証明《しょうめい》できたのだろうか。

解説《かいせつ》

エビフライにエビピラフ……食卓《しょくたく》にのぼるエビは、身もカラもきれいな赤い色をしている。だけど、調理する前のエビは、灰色《はいいろ》っぽいくすんだ色。エビは、加熱すると赤くなるのだ。

主人公は、男の子の「岩の間に赤いのがチョロチョロしてるのが見えた」という言葉から、ウソを見破《みやぶ》ったのである。

ゆでる、揚《あ》げるなど加熱すると赤くなるのは、エビにふくまれるアスタキサンチンという赤い色素《しきそ》のため。この色素《しきそ》はふだんはタンパク質《しつ》と結びついていて、緑色や灰色《はいいろ》に見える。だが、加熱するにつれて、アスタキサンチンとタンパク質《しつ》が分解《ぶんかい》し、もとのアスタキサンチンの赤い色が現《あらわ》れるのだ。

ちなみに生で食べる甘《あま》エビなどは加熱しなくても赤いけれど、これはアスタキサンチンが空気にふれて酸化《さんか》したために赤くなっているのだ。

11

立《たち》入《いり》禁《きん》止《し》

危機《きき》↓逆転《ぎゃくてん》？

「はい。予定通り、手に入れました。……ええ、思ったよりかんたんな仕事でしたよ。夜には事務所《じむしょ》に帰ります。」

カーターは電話を切ると、車を運転しているオレの肩《かた》をポンとたたいた。

「ボスは大喜《おおよろこ》びだ。これでかなりの大金が入るからな。オレたちも給料が上がるし、ボーナスももらえるかもしれん。」

オレたちは、犯罪組織《はんざいそしき》「ダブルX《エックス》」の同僚《どうりょう》だ。たった今、歴史的《れきしてき》な大発明にかかわる機密《きみつ》データの入ったメモリーディスクをうばうという、大仕事をやりとげたところだ。ここには、ある病気に奇跡的《きせきてき》な効き目《きめ》を現《あらわ》す特効薬《とっこうやく》の製法《せいほう》や、その臨床試《りんしょうし》験《けん》のデータなどがおさめられている。

カーターは満面の笑みをうかべているが、オレには少し心配なことがあった。

「カーター、後ろの車の運転手を見てみろ。『レッド・クリーチャー』の幹部《かんぶ》のノアに似《に》てないか？」

レッド・クリーチャーとは、ダブルX《エックス》のライバル的な犯罪組織《はんざいそしき》である。オレたちが重要なデータを持っていることをかぎつけて、追ってきた可能性《かのうせい》はおおいにある。

カーターは、チラッとルームミラーに目をやった。

「わからんが、引きはなせ。」


オレたちは念のため、進路を変えて近くの国立公園にまぎれこむことにした。駐車場《ちゅうしゃじょう》に車を入れ、緑豊《ゆた》かな園内にかけこむ。

広大な園内を、オレたちはさも植物に興味《きょうみ》があるような顔をして30分ほど歩き回ったが……距離《きょり》を保《たも》ってあとをついてくる巨漢《きょかん》の男はノアにちがいなかった。

「向こうは1人だ。先手を打つぞ。」

カーターはオレにささやくと、公園内の「立入禁止《たちいりきんし》」エリアに足を進めた。

草ぼうぼうの荒地《あれち》が広がる立入禁止《たちいりきんし》エリアで、オレとカーター、そしてノアは……互《たが》いに拳銃《けんじゅう》をかまえてにらみ合っていた。

「おまえがジャケットの中にかくしているものが何か、オレはわかってる。おとなしくゆずれ。そうしたら、生かして帰してやる。」

ノアは、カーターがそれを持っているのを見ぬいているようだった。きっとカーターは、ジャケットの内ポケットのあたりを無意識《むいしき》にさわっていたんだろう。

（よし、今だ！）

オレは、ノアに向かって引き金を引いたが、弾《たま》ははずれてしまった。と、同時にふくらはぎに、焼けるような痛《いた》みが走る。ノアの発砲《はっぽう》した弾《たま》を食らったんだ！

倒《たお》れこみながら顔を上げる。

ノアがカーターに飛びげりを食らわし、カーターの銃《じゅう》ははじき飛ばされた。カーターはノアに飛びつき、ヤツの拳銃《けんじゅう》をうばおうともみ合っている。

オレは痛《いた》みをこらえながら拳銃《けんじゅう》を手にしたが、この状態《じょうたい》で発砲《はっぽう》する自信はない。

そのとき、オレは信じられないものを目にした。

遠くをクマがうろついている。こんなときにクマまで出てくるなんて⁉

「立入禁止《たちいりきんし》」と書いてあるのは、そういうわけだったのか！

足を引きずりながら、「おい、クマだ！」と声をあげると……。

バシャン！

大きな水音と、2人の悲鳴が同時に聞こえた。

「おーい、助けてくれ！」「熱い！　熱い！」

どうしたんだ⁉　急いでかけ寄《よ》ろうとしたが、足がいうことを聞かない。

はうようにして草をかき分けると……そこには湯気を上げてわき立つ泉《いずみ》があったんだ。

オレは泉《いずみ》に入れた手を急いでひっこめた。

熱い！　こんな熱湯の中に入れっこない。それに、鼻をつくようなイヤなにおいがする。オレはたまらず泉《いずみ》から顔をそむけながら、カーターの名を呼《よ》び続けた。そして、いつのまにか足の痛《いた》みで気を失っていたんだ。


目覚めると、夕方だった。

カーターとノアの拳銃《けんじゅう》が落ちているのを見て、あれは現実《げんじつ》のことだったとわかった。そういえば、クマに襲《おそ》われずにすんだんだな。あのクマは老いぼれて元気がなさそうではあったが。

ヨロヨロと立ち上がり、だれもいない園内をぬけ、警備員《けいびいん》にも見つからずに駐車場《ちゅうしゃじょう》にたどりついた。

何もかもどうでもよかったが、やっぱりボスに報告《ほうこく》しなくてはならない。


仕事は失敗し、仲間を失い……これ以上悪いことがあるとは思っていなかったね。

翌日《よくじつ》、オレの案内で、ボスと数人の仲間がこのクソ熱い泉《いずみ》にやってきた。

ところが、泉《いずみ》をのぞきこんで、棒《ぼう》でひっかき回してみても、カーターとノアの死体は見つからなかったのである。

ボスは、オレに言ったんだ。

「メモリーディスクを持っていたカーターの死体がない。この事実から考えると、おまえさんが作り話をしているとしか思えない。おまえのケガもあやしいもんだ。ふくらはぎなら、自分で撃《う》つことだってできるしな。」

ボスは、オレがカーターを殺《ころ》し、適当《てきとう》な作り話をしてディスクをかくし持っていると疑《うたが》っているんだ。ボスをだまし、どこかにディスクを持ちこんでひともうけしようとしていると……。

「そんなことはありません。確《たし》かに2人はここに落ちたんです！」

「じゃあ、2人はどこに消えたんだ？　この熱湯の中に落ちて助かるわけはないだろう？　ノアが追ってきたというのはウソなんだろう？　おまえはどこかでカーターを殺《ころ》して捨《す》てたんだろう？　さっさとディスクを出しやがれ！」

ボスは、オレの両肩《りょうかた》をつかんでゆさぶった。

「ボス、オレを信じてください！」

そうは言っても、死体がないとはどういうことなのかオレだって説明がつかない。

「おい、クマがいるぞ。」
不意に、仲間の1人が指さした。
みんな緊張《きんちょう》して拳銃《けんじゅう》に手をやったが、クマは泉《いずみ》の近くを歩き回っただけで、また
ノソノソ山の中にもどっていく。
そのとき、オレはひらめいたんだ。
「クマが山を下りてきたことと、2人の死体が消えたことには関係があるかもしれ
ません。くわしく調べれば、オレの無実は証明《しょうめい》できるはずです。」

2人の死体はいったいどうなったのだろうか。

解説《かいせつ》

この話は、アメリカのワイオミング州にある国立公園で起こった死亡事故《しぼうじこ》を参考にしている。この実在《じつざい》する温泉《おんせん》は、水温が約100度にもなる「熱水泉《ねっすいせん》」。土壌《どじょう》などにふくまれる硫化水素《りゅうかすいそ》から生成された硫酸《りゅうさん》がふき上げられてできた濃度《のうど》の高い酸《さん》性《せい》の熱水泉《ねっすいせん》だ。そのため、まる1日たつと、死体は完全に溶《と》けてしまったのだ。

硫酸《りゅうさん》は、硫黄《いおう》をもとに生成される。硫黄《いおう》をふくむ温泉《おんせん》は、ゆで卵《たまご》がくさったような特徴的《とくちょうてき》なにおいがするが、さまざまな病気に有効《ゆうこう》なことで知られている。クマのような野生動物も硫黄《いおう》の湯の有効性《ゆうこうせい》を知っていて、たまにつかりにくることは『シートン動物記』の灰色《はいいろ》グマのエピソードにも書かれている。公園をうろついていたクマは硫黄《いおう》に似《に》たにおいにひかれつつ、この泉《いずみ》に近よると危《あぶ》ないことを理解《りかい》していたのである。この熱水泉《ねっすいせん》の成分があきらかになると、主人公の疑《うたが》いは晴れた。

ちなみに硫酸《りゅうさん》は金属《きんぞく》も溶《と》かすので、ディスクも水の泡《あわ》となったのである。

12

優《ゆう》等《とう》生《せい》のこだわり

危《き》機《き》↓逆《ぎゃく》転《てん》?

消しゴムを忘《わす》れたことにずっと気づかなかったのは、ぼくが頭がいいせいである。

スラスラと迷《まよ》うことなく問題を解《と》き続け、ここまでまったく答えを書き直す必要がなかったんだから。

ところが、最後の問題はちょっと難《むずか》しいやつで。

あれ、なんだかおかしいな?

と思ったら……途《と》中《ちゅう》で計算ミスをしてるじゃないか。

テストが始まって25分。残り時間は20分。

ここで初めてぼくはペンケースの中に、お気に入りの文房具《ぶんぼうぐ》メーカーA社製《エーしゃせい》の「よく消えて消しカスがまとまる最高級消しゴム」がないのに気づいたんだ。

くそっ！

つい、A社製《エーしゃせい》の「長時間書いても疲《つか》れないリラックス・ラバーグリップの最高級シャープペン」を机《つくえ》にたたきつけそうになった。

おっと、冷静さを失うなんてぼくらしくもない。

ふつうの子なら手をあげて「先生、消しゴムを忘《わす》れたのですが」って言うところだろうな。

でも、それは秀才《しゅうさい》で優等生《ゆうとうせい》のぼくのキャラじゃない。忘《わす》れ物《もの》をするなんてはずかしいじゃないか。

そうだ、消しゴムならシャープペンに小さいのがくっついてる。あまりよく消えないから、答案用紙がきたなくなっちゃうかもしれないけど。

ところが、シャープペンのノック部分のキャップをはずしてみると……なぜか消

しゴムがない。芯《しん》を入れるときに落としてしまったのか⁉

さて、論理的《ろんりてき》に考えよう。シャープペンの芯《しん》、すなわち黒鉛《こくえん》はインクとちがって紙にしみこむわけじゃない。

だから、こすって消すことは可能《かのう》なはず。それが消しゴムでなくてもかまわないだろう。

指でこすってみたらどうなるだろう。

ツバをつけてこするとか？

いや、そんなことをしても、ただ黒鉛《こくえん》が広がって答案用紙はきたなくなるだけだろう。

そう……消しゴムのカスがよごれることを考えれば、消しゴムは紙から黒鉛《こくえん》を吸《きゅう》着《ちゃく》してることくらいはすぐわかる。

つまり、消しゴムの代わりになるのは黒鉛《こくえん》を吸着《きゅうちゃく》できるものということになる！

もちろん、厳正《げんせい》に行われるべき期末テスト中に、バッグや机《つくえ》の中をゴソゴソかき回すようなことは許《ゆる》されない。

自分の肉体をふくめて……あくまでも今、机《つくえ》より上に存在《そんざい》するものしか使うことはできない。

ぼくは、机《つくえ》の上をながめた。

答案用紙の上には例のシャープペン。

これまたA社製《エーしゃせい》の「タテ置きするとペン立てにもなるペンケース」。

その中には、A社製《エーしゃせい》の「絶対《ぜったい》折れない・書き味やわらかなシャープペンの芯《しん》・HB《エイチビー》」。

黄色と黄緑色の蛍光《けいこう》ペンが1本ずつ。

赤・青・黒の3色ボールペン。

透明《とうめい》の15センチメートル定規《じょうぎ》。

われながら、ムダのないラインナップだ。なんて、満足している場合じゃないが。

そして……ぼくは、1分以内に問題を解決《かいけつ》した。

主人公は、どうやってシャープペンの文字を消したのだろうか。

解説《かいせつ》

主人公は、「長時間書いても疲《つか》れないリラックス・ラバーグリップの最高級シャープペン」のラバーグリップを使って、シャープペンの文字を消したのである。シャープペンやボールペンのにぎる部分にはすべり止めとして、ラバーをかぶせてあるものがある。ラバーとは、すなわちゴムのことだ。

ちなみに、「消しゴム」にはゴム製《せい》とプラスチック製《せい》の2種類がある。現在《げんざい》使われている消しゴムは、圧倒的《あっとうてき》にプラスチック製《せい》が多い。

ゴム製《せい》の消しゴムは、紙の表面を少しけずりながら、黒鉛《こくえん》の粒子《りゅうし》を吸着《きゅうちゃく》して取り去っている。なので、消しゴムでなくてもゴム製《せい》のものなら、適度《てきど》な力でこすれば黒鉛《こくえん》をはがすことができるのだ。輪ゴムでも消すことができるので、試してみよう。

一方、プラスチック製《せい》のものは、塩化ビニールで黒鉛《こくえん》の粒子《りゅうし》を吸着《きゅうちゃく》し、包みとるようにして字を消している。正確《せいかく》にはゴムではないので「プラスチック字消し」などと呼《よ》ばれている。

13

こわれたアイロン

危機《きき》→逆転《ぎゃくてん》？

何度スイッチを入れ直しても、ランプが点灯しない。

こんなときにアイロンがこわれちゃうなんて！

あたしは、ハンガーにかかっているシワシワのパンツスーツを前に、絶望的《ぜつぼうてき》な気持ちになっていた。


今日は、取り引き先の会社の人の前で、大事な提案《ていあん》をするから紺《こん》のストライプのパンツスーツでビシッとキメるつもりだったのに。こういうときって、いかにも「仕事ができる人」に見えるような演出《えんしゅつ》も大切なんだよねぇ。

ふだんはカジュアルな服装《ふくそう》でOK《オーケー》な会社だから、ほかにしっくりくる服を持ってない！

こんなことなら、昨日の夜、寝押《ねお》しでもしておけばよかったな。女子高生時代は、プリーツスカートのひだをキレイに保《たも》つために、よくおふとんの下にスカートをしいて寝《ね》たものだけど。

お風呂《ふろ》にお湯をためて……お風呂場《ふろば》に服をつるすと、蒸気《じょうき》でシワが取れるって聞いたことあるけど、それはだいぶ時間がかかりそう。

コーヒーを入れるためにお湯をわかしていたあたしは、やかんから立ちのぼる湯気を見ながら考えた。この上に服をつるしたらどうかな？

ちょっとならシワが取れるかもしれないけど……なにしろこの服、だいぶ細かくシワができちゃってるからねぇ。

やっぱりアイロンじゃないと、この手ごわいシワはのばせそうにないよ。

霧吹《きりふ》きをして、上に重いものを置いてもダメだろうなぁ。熱がないと……。

そのとき、あたしはひらめいたんだ。

あるじゃん。即席《そくせき》のアイロンになるものが……。

主人公はどこの家にもあるもので、服のシワをのばすことができた。何をどのように使ったのだろうか。

解説《かいせつ》

主人公は、お湯をわかしたやかんをアイロン代わりにしたのだ。水を入れ、沸騰《ふっとう》させたやかんなら、熱もあるしアイロンなみの重みもある。

この方法を試す場合は、やかんの底のよごれが服につかないように注意しよう。服の生地《きじ》をいためないためにも、服の上に1枚布《まいぬの》をしくといい。やかんにお湯を入れすぎると動かしにくいのでお湯の量は少なめに。お湯をこぼさないように気をつけて動かすことが必要だ。

金属《きんぞく》のやかんは、中に水が入っていれば100度以上には上がらない。アイロンの設定温度《せっていおんど》では、綿《めん》や麻《あさ》は高温（180~200度くらい）でなければシワがのびにくいが、絹《きぬ》やナイロンなどは低温（110~130度くらい）でOK《オーケー》。主人公のパンツスーツはナイロン素材《そざい》だったので、やかんアイロンで無事にシワをのばすことができたのだ。

14

秘密文書《ひみつぶんしょ》を解読《かいどく》せよ

危機《きき》↓なぜ？

「みんなもわかっていると思うが、相手はテロ集団《しゅうだん》だ。化学兵器、爆弾《ばくだん》などを使ってくる可能性《かのうせい》がある。全員、装備《そうび》をしっかりして、自分の身を守りながら捜査《そうさ》にあたってほしい。」

わたしが重々《おもおも》しく言うと、部屋に集まった対策《たいさく》チームの面々《めんめん》は「はい！」と元気な声で返事をした。

わたしは長年、悪質《あくしつ》なテロ集団《しゅうだん》を追っている刑事《けいじ》である。

しばらく鳴りをひそめていたテロ組織《そしき》「白の悪魔《あくま》」の動きがこのところ活発になっており……調査《ちょうさ》を進めていたところ、信頼《しんらい》できる人間から、明日大がかりなテロ攻撃《こうげき》をしかけてくるという情報《じょうほう》を得《え》たのだ。

そこへ突然《とつぜん》、部下のヤマグチが入ってきた。

「マツダ警部《けいぶ》、これを見てください！」

ヤマグチは1枚《まい》の紙を手にしている。

「捜査班《そうさはん》のメンバーが、さきほど『白の悪魔《あくま》』のトップから仲間あてに発信された連絡網《れんらくもう》をキャッチしたんです。その文面をプリントしてきました。」

ヤマグチは、興奮《こうふん》した表情《ひょうじょう》で紙をふり上げる。

「この文書によると、ヤツらはテロ攻撃《こうげき》を中止するつもりのようなんです！」

ヤマグチの言葉にざわめきが起こり、緊張《きんちょう》した部屋の空気が一気にゆるんだ。

「本当か？」

「それならいいが……。」

対策《たいさく》チームのみんなは、たちまちホッとした様子になる。

「みんな、安心するのは早いぞ。まあ、見てみよう。」

わたしは、ヤマグチから受け取った紙に目を落とし、注意深く読み進めた。

「この計画は完璧《かんぺき》なものであり、わたしの最高傑策《さいこうけっさく》であると考えていた。

もし、これを実行すれば総力選《そうりょくせん》となるだろう。

しかし、現在《げんざい》、幹部《かんぶ》の方向性《ほうこうせい》にはやや行きちがいがあり、この問題を解結《かいけつ》せねば先には進めない。

つまり、わたしは今は決攻《けっこう》すべきときではないと考えたのだ。

名確《めいかく》な主張《しゅちょう》を持っていなければ、後悔《こうかい》するにちがいない。

もしつかまれば、一生を火陰者《ひかげもの》として過《す》ごすことになるのだから。

何かをなすには、重分《じゅうぶん》な準備《じゅんび》が必要だ。

一次《いちじ》の思いつきだけで、つっ走れば失敗するだろう。

器本的《きほんてき》な方針《ほうしん》を、考え直すべきときなのかもしれない。

次に連絡《れんらく》するときまで、それぞれに自盤《じばん》をかためておいてほしい。

みんなには、いずれまた召収《しょうしゅう》をかける。

そのときは……本当にわたしと考え方の会う者だけ参加してくれればよいと思う。」

なるほど。この文書を読むかぎり、「白の悪魔《あくま》」のトップは予定していたテロ攻《こう》撃《げき》をやめるつもりらしい。

しかも、幹部《かんぶ》の間にトラブルがあるとも書いてあり……しばらくは行動を起こさないふうに考えられる。

「だが、彼《かれ》らはこの計画をずいぶん時間をかけて準備《じゅんび》していたはずだ。これを文面通りに受け取ってもいいものかな?」

わたしが言うと、ヤマグチは言った。

「うーん……それはそうですね。でも、この文面を送ったのが『白の悪魔《あくま》』のトップだということだけはまちがいないですよ。そこは信頼《しんらい》してだいじょうぶです。」

わたしは、もう一度よく文書を読み直した。

スマートフォンで打ったものかもしれないが、ずいぶん誤字《ごじ》が多いな。テロ集団《しゅうだん》とはいえ、トップに君臨《くんりん》する人間がこのレベルとはいかがなものか。

そのとき、ある考えがひらめいたのだ。

一字一字、しっかり見ていくと……この文書の中にかくされた真のメッセージが読み取れる。くそっ、だまされてなるものか！

「どうやら、この文書はわれわれを惑《まど》わすためのワナらしいな！」

じつは、この文書は暗号文になっていた。手がかりは「誤字《ごじ》」の多さだ。この文書にはどんなメッセージがかくされているのだろうか。

解説《かいせつ》

この文書は、「今は作戦を行わない」と通達していると見せかけた、秘密《ひみつ》の暗号文である。カギは「誤字《ごじ》」。まちがっている漢字をぬき出し、正しい漢字に置きかえて順番に並《なら》べると、ある言葉ができる。それが本当のメッセージだ。

「傑策→傑作」「総力選→総力戦」「解結→解決」「決攻→決行」「名確→明確」「火陰者→日陰者」「重分→十分」「二次→一時」「器本的→基本的」「自盤→地盤」「召収→召集」「会う→合う」

つなげると「作戦決行　明日十時　基地《きち》集合」となる。

主人公たちは、次の日に「白の悪魔《あくま》」の基地《きち》をかこみ、テロ攻撃《こうげき》が実行に移《うつ》される前に防《ふせ》ぐことに成功。「白の悪魔《あくま》」の面々《めんめん》を逮捕《たいほ》した。

15

道の駅

失敗→なぜ？

天気もいいし、いそがしくなりそうだな。

わたしは、10年前から「道の駅」で海鮮丼《かいせんどん》の店をやっている。

「道の駅」というのは、「サービエリア」と同じような、ドライバーが休憩《きゅうけい》したり食事をとったりできる24時間の施設《しせつ》だ。ちがいは高速道路ではなく一般道路《いっぱんどうろ》ぞいにあるところ。

温泉《おんせん》などの施設《しせつ》がある「道の駅」もあるが、それにくらべるとうちは小規模《しょうきぼ》な方だ。でも、地味ながら、地元でとれた野菜や名産品を売るコーナーもなかなか人気がある。

うれしいことに「去年、東京から帰省するときに寄《よ》ったんだけど、おいしかったからまた来ましたよ」なんて、声をかけてくれるお客さんも年々《ねんねん》増《ふ》えているんだ。そういう遠方からの旅行客だけじゃなく、わりと近場の人たちも来てくれて助かっている。

「はい、10種乗せ海鮮丼《かいせんどん》、お待たせ！」

カウンターに丼《どんぶり》を置いたとき。

ガシャンッ！

激《はげ》しい衝突音《しょうとつおん》がしたので、わたしはあわてて外に出た。

うわあ……看板《かんばん》に大きな穴《あな》があいてる！　車がぶつかったんだな？

すでに遠くへ走り去っている青い車が見えたが……あの車のしわざなのか？

まさに今、駐車場《ちゅうしゃじょう》に車を停《と》めようとしている車がいる。わたしは、運転手に声をかけた。

運転席の女性《じょせい》は、「今の車が看板《かんばん》にぶつかり、そのまま急発進して走り去るのを見た」という。この車は青い車の後ろを走ってきたわけだから、もしかして……。

「あの車のナンバー、見てませんか？」

「ナンバーまではわからないですけど、プレートには『東京』と書いてありました。」

「そうですか。ご協力ありがとうございます。」

わたしはお礼を言って、すぐに警察《けいさつ》に連絡《れんらく》するため、店にもどろうとした。

だが、クルリとふり返って……もう一度、女性《じょせい》に話しかけたのだ。

「わたしはこれから警察《けいさつ》に電話をします。もし、ウソをついているんだったら、今のうちに話してくれませんか？」


主人公は、この女性《じょせい》がかくしごとをしているとにらんだ。女性《じょせい》の証言《しょうげん》にかくされたウソとは何か。

解説《かいせつ》

車のナンバープレートには、地域《ちいき》の名前が記されているが、「東京」と書かれたナンバープレートはない。そこで、主人公は、運転手の女性《じょせい》がウソをついたことを見破《みやぶ》ったのだ。逃《に》げ去ったのは、女性《じょせい》の友人の車だった。女性《じょせい》と友人はこの近くの住人だが、東京から来た車のしわざに見せかけようとウソをついたのである。

ナンバープレートの地名は、運輸支局《うんゆしきょく》、あるいは自動車検査登録事務所《じどうしゃけんさとうろくじむしょ》がある場所の名前だ。大阪《おおさか》ナンバー、京都ナンバーはあっても、北海道ナンバーはない。また、地域《ちいき》を盛《も》り上げる目的から「ご当地ナンバー」という制度《せいど》が導入《どうにゅう》され、「一般《いっぱん》的《てき》に広く知られた地名である」「地域《ちいき》で登録されている自動車の数が10万台以上である」などの条件《じょうけん》で、新たなナンバーも生まれている。東京でメジャーなのは品《しな》川《がわ》・世田谷《せたがや》ナンバーなど。意外なことに「新宿《しんじゅく》」ナンバーがないのは、この地域《ちいき》で登録されている車の台数が少ないせいである。

16

2つの毒物《どくぶつ》

失敗→なぜ?

「キョウコは殺《ころ》されたんです。殺《ころ》したのは、キョウコの夫のミネタロウさんだと思います。」

ヨドガワキョウコが旅行先のホテルで突然倒《とつぜんたお》れて死んだあと、強い口調でこうのべたのは、親友のマカベミツコだ。

「わたしたちは2人で旅行に行きました。ホテルに着いたところで、急にキョウコが苦しみ始めて……すぐに救急車《きゅうきゅうしゃ》を呼《よ》んだんですが、まに合わなくて。」

ミツコによれば、ミネタロウは旅行に出かける2人を見送りに駅までついてきた。新幹線《しんかんせん》の発車時刻《はっしゃじこく》までよゆうがあったので、駅の構内《こうない》のカフェに入ったのだが、そのとき、ミネタロウはキョウコにサプリメントをわたしていたという。

「きっと、あれが毒薬《どくやく》だったんです。ミネタロウさんは科学実験などの仕事をしている研究者ですから、毒物《どくぶつ》にもくわしいはず。ミネタロウさんは『元気が出るサプリメントだから、今飲んだ方がいい』と言って……わたしはキョウコがその場でカプセル剤《ざい》を飲むのを見ていました。」

サトウ刑事《けいじ》は、ミツコの言葉を慎重《しんちょう》にメモした。

(キョウコさんの死因《しいん》は心臓発作《しんぞうほっさ》と診断《しんだん》されたが。確《たし》かに、そのサプリメントはあやしい。くわしく調べた方がいいかもしれないな。)

そして、サトウ刑事《けいじ》が検死専門《けんしせんもん》の監察医《かんさつい》に相談して数日後、驚《おどろ》くべきことがわかったのである。

サトウ刑事《けいじ》は、ミネタロウ氏にその結果を告《つ》げた。

「キョウコさんの血液中《けつえきちゅう》から、致死量《ちしりょう》のトリカブトが検出《けんしゅつ》されました。われわれは、あなたがわたしたサプリメントと関係があるのではないかと考えているのですが。」

　しかし、ミネタロウ氏はまったく動じずに言ったのである。

「ええ、確《たし》かにわたしは一般《いっぱん》の人より毒物《どくぶつ》に知識《ちしき》があります。だからこそ、刑事《けいじ》さんにも教えてさしあげられることがあるんです。もしわたしの与《あた》えたサプリメントに致死量《ちしりょう》のトリカブトがふくまれていたとしたら……キョウコは、ホテルに着くまで生きていなかったでしょう。致死量《ちしりょう》のトリカブトを摂取《せっしゅ》すれば、ほんの20分程度《ていど》で死んでしまうはずなんです。そんなこともご存知《ぞんじ》ないんですか？」


　サトウ刑事《けいじ》がさっそく毒物《どくぶつ》の専門家《せんもんか》に聞きに行くと、くやしいことにミネタロウ氏の言う通りだった。キョウコが倒《たお》れたのは、そのサプリメントを飲んでから約2時間後。トリカブトの効《き》き目《め》はもっと早く出るはずだという。

　だが、一方でサトウ刑事《けいじ》は、ミネタロウ氏に対して疑惑《ぎわく》を深めていた。キョウコが病死すると、ミネタロウ氏には多額《たがく》の保険金《ほけんきん》が入る。また、調査《ちょうさ》によってミネタロウ氏には浮気相手《うわきあいて》がいることもわかった。

そこで、サトウ刑事《けいじ》は、ふたたび監察医《かんさつい》に頼《たの》んだのだ。

「キョウコさんの血液《けつえき》を、もう一度くわしく調べ直してほしい。なんでもいいから、手がかりがほしいんだ。」


さらに数日後。監察医《かんさつい》は、サトウ刑事《けいじ》に新しい事実を知らせてくれた。

「冷凍保存《れいとうほぞん》してあった血液《けつえき》を分析《ぶんせき》したところ、トリカブトのほかに、致死量《ちしりょう》のフグの毒《どく》も検出《けんしゅつ》されたんです。」

フグに毒《どく》があることはよく知られた話。だが、キョウコは移動中《いどうちゅう》、フグはもちろん何も食べていない。

「じゃあ、サプリメントにトリカブトとフグの毒《どく》の2種類が入っていた可能性《かのうせい》があるということか？」

「そうですね。でも、フグの毒《どく》は30〜40分のうちに中毒症状《ちゅうどくしょうじょう》が出るんですよ。」

サトウ刑事《けいじ》は、考えこんだ。

「キョウコさんの血液《けつえき》からは2つの毒物《どくぶつ》が検出《けんしゅつ》された。だが、トリカブトは摂取《せっしゅ》してから20分、フグの毒《どく》は30〜40分で死に至《いた》るという。キョウコさんが飲んだサプリメントのカプセルは15〜30分で溶《と》けてしまう。とにかく、飲んでから2時間も症状《しょうじょう》が出ないのはおかしい。それに2つの強力な毒物《どくぶつ》をいっぺんに摂取《せっしゅ》したら、相乗効《そうじょうこう》果《か》でもっと早く症状《しょうじょう》が出るんじゃないか？」

「それはどうですかね。毒《どく》をもって毒《どく》を制《せい》すという言葉もありますし……。」

監察医《かんさつい》がポツリとつぶやいた瞬間《しゅんかん》、サトウ刑事《けいじ》はハッと顔を上げた。

「先生。ひとつやってみてほしい実験があります。その結果によっては、あいつを逮捕《たいほ》できるはずだ！」


カプセルが胃《い》で溶《と》ける時間を計算に入れても、サプリメントが原因《げんいん》ならキョウコは1時間ほどで絶命《ぜつめい》していたはず。犯人《はんにん》はどのようなトリックを使ったのだろうか。

解《かい》説《せつ》

犯人《はんにん》は、キョウコの夫のミネタロウ氏である。「毒《どく》をもって毒《どく》を制《せい》す（悪に対抗《たいこう》するために、別の悪事を用いるという意味）」ということわざがあるが、このトリックはまさにその応用《おうよう》だ。ミネタロウ氏は、トリカブトの毒《どく》とフグの毒《どく》、両方をサプリメントに混《ま》ぜると、フグの毒《どく》がトリカブトの毒作用《どくさよう》をじゃまし、効《き》き目《め》が遅《おそ》くなることを知っていたのである。

これは本当にあった事件《じけん》をもとにした話。実際《じっさい》の事件《じけん》でも、当初はトリカブトの毒《どく》しか発見されなかったが、のちにフグの毒《どく》が検出《けんしゅつ》されたことで犯行《はんこう》の手口が解明《かいめい》された。犯人《はんにん》は、毒《どく》が人体に作用するのを遅《おく》らせる「時間かせぎ」をすることで、自分のアリバイを作ろうとした。もし、フグの毒《どく》が検出《けんしゅつ》されなければ、完全犯罪《かんぜんはんざい》が成立したと考えられている。

17

すてきなカントリーライフ

失敗→なぜ？

「まぁ、すてき。わたしねぇ、若《わか》いころからこんな家にあこがれていたの。」

三つ編《あ》みにした白髪《はくはつ》の先をいじりながら、エトウ夫人は顔をほころばせた。

「そのようにうかがいましたので。わたしとしましても、この物件《ぶっけん》ならきっとエトウ様に気に入っていただけると思っておりました。」

うん、これはいけそうだ。

オレは、実在《じつざい》しない別荘《べっそう》や大邸宅《だいていたく》を売りつける仕事をしている。

ひとことで言うと、サギ師《し》だ。

ねらうのは、お金持ちの老人。ただし、弁護士《べんごし》なんかをやとって財産管理《ざいさんかんり》をさせているようなのは避《さ》ける。金をまき上げるための条件《じょうけん》はほかにもある。インターネットで自分で物件《ぶっけん》を調べたりできないこと。タンス預金《よきん》をしていること。こういうことを、それとなく世間話をしながら聞き出していくのも、サギ師《し》に必要なテクニックだ。

まずは、田舎《いなか》に移住《いじゅう》する計画を立てている老人の情報《じょうほう》を得《え》て、訪問《ほうもん》する。

それから、相手の理想をなるべくくわしく聞いて、1週間くらいたったら「まさにぴったりの物件《ぶっけん》が見つかりました」と、参上するのだ。宮殿《きゅうでん》みたいなお屋敷《やしき》、海辺にある南国のリゾートみたいな邸宅《ていたく》、緑の丘《おか》の上にある風車小屋、ゴルフ場がついている家……等々《とうとう》、夢《ゆめ》のような家ほどいい。

適当《てきとう》に間取り図をでっち上げ、それらしい合成写真を何枚《なんまい》か用意する。のん気なじいさん、ばあさんは魅力的《みりょくてき》な写真さえ見せてやれば、夢中《むちゅう》になってすっかり買う気になってしまうんだ。

ただし、「現地《げんち》を見に行く」という話になる前に金をかすめとらなきゃならない。

相手がいよいよ乗り気になってきたら、オレは、スマートフォンに連絡《れんらく》が入ったふりをして、困《こま》った顔で言う。

「たった今、この物件《ぶっけん》を契約《けいやく》したいと言う人から連絡《れんらく》が入ってしまいました。もし、今の段階《だんかい》で前金を少々《しょうしょう》いただけるなら、仮契約《かりけいやく》としておさえることができるのですが。もちろん、現地《げんち》に見に行って、気に入らなければ前金はお返しします。」

で、前金を現金《げんきん》で用意してもらったら、そこでさようなら、ってわけさ。

信じられないかもしれないが、これで50万円とか100万円とか、ポンとわたしちゃうやつらがいるんだから、やめられない。たとえ10万円でも20万円でも、こっちは万々歳《ばんばんざい》だ。


エトウ夫人のあこがれは、木の実がとれる広い庭のある、カントリー調の暮《く》らしなんだそうだ。

「野菜には興味《きょうみ》ないから、畑はいらないの。アケビのツルで編《あ》んだかごを持って、ブルーベリーを摘《つ》んだり、庭で収穫《しゅうかく》したリンゴやクルミを使ってタルトを焼いたりしたいのよ。実がなる木って、育てるのに時間がかかるでしょ？だから、もう何もかも完成してる庭つきの家を探《さが》したいの。この年ですからね……。」

前回、エトウ夫人が語ったことはしっかりメモをとってあった。彼女《かのじょ》の要望は、

具体的で実にいい。

オレは、インターネットでイギリスの古い屋敷《やしき》を見つけると、エトウ夫人が好き

そうな庭や、樹木《じゅもく》の写真を探《さが》して合成した。それにしても、クルミっていうのは、

かたいカラが木になるんだと思ってたな。緑色の実がついて、その中にあのカラが

おさまってるっていうのは初めて知った。

今、エトウ夫人は、オレがテーブルに並《なら》べた写真を1枚《まい》1枚《まい》じっくりとながめて

いる。

「こんな理想的な家があるなんてねぇ。リンゴのとなりはクルミの木ね。どちらも

たっぷり実をつけていて、すばらしいわ。」

「そこが、この庭の一番の魅力《みりょく》ですから、元の持ち主もしっかり写真を撮《と》ってあっ

たんですよ。」

ここで、オレは例の〝演技《えんぎ》〟をさしこんだ。「ほかにもここを買いたがっている人がいる」っていうやつだ。

エトウ夫人は、「わかりました。では前金を用意しますから、ちょっと待っててくださいね」と言うと、席を立ってとなりの部屋へ行った。

そして、10分後――玄関《げんかん》には、警察官《けいさつかん》が現《あらわ》れたのである。

エトウ夫人は、主人公の話の中でおかしな点に気づき、自分から金をまき上げようとしているサギ師《し》だと見破《みやぶ》った。なぜ、あやしいと考えたのだろうか。

解《かい》説《せつ》

エトウ夫人は、合成写真の不自然な点に気づいたのだ。リンゴとクルミの木がとなり合い、どちらもみごとに実をつけているのを見て喜《よろこ》んだが、よく考えてみると「これはおかしい」と思ったのである。クルミの木の根からは、ほかの植物の成長をじゃまする物質《ぶっしつ》が出ている。クルミの木のそばには、生命力の強い雑草《ざっそう》さえ生えにくいという。クルミのとなりにリンゴの木を植えても、実がなるどころか樹木《じゅもく》自体がまともに育たないことをエトウ夫人は知っていたのだ。

エトウ夫人は物件《ぶっけん》に疑問《ぎもん》を持ち、さらに前金の支払《しはら》いを急がされていることへの不信感からサギ事件《じけん》だと直感し、こっそり別室で警察《けいさつ》に通報《つうほう》したのである。たとえ一部でも、急いでお金を払《はら》わせようとするような売り手は疑《うたが》ってかかるべきだ。

主人公は取り調べを受けて逮捕《たいほ》され、これまでに行った一連のサギ事件《じけん》も明るみになった。

18

憎《にく》しみの手紙

失敗→なぜ？

「殺《ころ》してやる」

そう書いた紙を封筒《ふうとう》に入れ、のりでしっかり封《ふう》をすると、オレは切手をペロッとなめた。

手紙は自筆ではなく、パソコンで書いた文章をプリントしたものだ。封筒《ふうとう》のあて名も同じく。差出人の名を書かないと受け取り拒否《きょひ》されるおそれがあるから、適当《てきとう》にでっち上げる。オレはサワシロという小説家にこんな手紙を年に3～4回くらい、数年にわたって送り続けている。

バリエーションはいろいろだ。あるときは「おまえの小説は最低だ」と、作品の欠点を延々《えんえん》と書き、「引退《いんたい》しろ」としめくくった。またあるときは、「おまえの過去《かこ》を知っている。バラしてやる」と、実際《じっさい》にはないデタラメを書きつらねた。

内容《ないよう》はなんでもいい。精神的《せいしんてき》なダメージを与《あた》えることが目的だから。オレは、あいつが人気小説家としてもてはやされているのが、がまんならないんだ。

もう10年以上前。サワシロは、オレが通っていた「小説家養成講座《こうざ》」の同級生だった。サワシロはすごくイヤなヤツで、同級生どうしで作品の感想を言い合うとき、オレの作品だけをめちゃくちゃにけなしてきたんだ。

そんなヤツがデビューし、人気作家として雑誌《ざっし》やネットニュースに取り上げられているのを見ると、ムカついてしょうがない。手紙を出すのはそんなときだ。

実際《じっさい》に殺《ころ》そうなんて思ってるわけじゃない。

でも、あいつが手紙を受け取って……もしかしたら中身をちゃんと読まないかもしれないとしても……その一瞬《いっしゅん》、イヤな気持ちになるならそれで十分なんだ。

インターネットでは発信元がつきとめられてしまうので、手紙がいい。出版社《しゅっぱんしゃ》あてに送ると、編集者《へんしゅうしゃ》が中身をチェックすることくらいは知っているから、自宅《じたく》に送る。自宅《じたく》は公開されていないが、まあいろんな手を使えば、調べることは難《むずか》しくないのだ。

そんなある日、オレの元に警察《けいさつ》から問い合わせがあった。

文書はネットカフェのパソコンやプリンターを使っていたし、便せんや封筒《ふうとう》をあつかうときは、指紋《しもん》がつかないよう手袋《てぶくろ》をはめていた。さらに用心のため、遠くの街のポストから投函《とうかん》していた。万が一、オレが疑《うたが》われたとしても絶対《ぜったい》に証拠《しょうこ》はないと思っていたんだが……。

手紙を出した人を特定する証拠《しょうこ》はどこにあるのだろうか。

解説《かいせつ》

主人公は指紋《しもん》を残さないように手紙をあつかい、パソコンやプリンターの機種、投函《とうかん》するポストから差出人が特定されないように気をつかっていた。

しかし、切手をなめて「唾液《だえき》」を残したのはうかつだった。切手をなめた程度《ていど》の唾液《だえき》からもDNA《ディーエヌエー》を検出《けんしゅつ》することができるのだ。

もちろん、何も情報《じょうほう》がないところから、唾液《だえき》だけで犯人《はんにん》に到達《とうたつ》するのは難《むずか》しい。

しかし、何年もいやな手紙に悩《なや》まされていたサワシロ氏は、「殺《ころ》してやる」という物騒《ぶっそう》な手紙が送られてきたのをきっかけに、警察《けいさつ》に相談した。こうした文面は「脅《きょう》迫状《はくじょう》」に当たるのだ。警察《けいさつ》から、「うらまれている心当たりはないか」と聞かれて、サワシロ氏が主人公の顔を思いうかべなければ、バレなかったかもしれない。

主人公は、警察《けいさつ》から「サワシロさんの手元に保管《ほかん》されている何十通もの手紙の、切手の唾液《だえき》のDNA《ディーエヌエー》はすべて一致《いっち》している」と聞かされ、ごまかせないとあきらめて、すべて白状《はくじょう》したのである。

19

名《めい》刺《し》の威《い》力《りょく》

失敗↓なぜ？

きっかけは、1年ほど前、道に落ちていた名刺《めいし》を拾ったことだった。拾ってみると、だれでも知っている自動車メーカーの名刺《めいし》で、肩書《かたが》きには「専務《せんむ》取締役《とりしまりやく》」と書いてある。

オレは、すぐに実験をしてみた。その日、たまたまちょっといいスーツを着ていたせいもある。タクシーを拾い、適当《てきとう》な場所を告《つ》げる。降《お》りるときに、カバンやポケットをかき回し……「どうもさいふを落としてしまったらしい。カードも身分証《しょう》もないので、ここに後日請求書《せいきゅうしょ》を送ってくれないか」と、名刺《めいし》を出すと。

さすがは名だたる一流企業《きぎょう》。運転手はまんまと信じてくれたのである。

この手は使える。

オレは、さっそくニセの名前の名刺《めいし》を作った。このニセ名刺《めいし》は、あくまで「他人の名刺《めいし》」を入手するためのものだ。

それから、オレは一流企業《いちりゅうきぎょう》のビジネスマンが集まるパーティー会場にもぐりこんでは名刺交換《めいしこうかん》をしまくったので、いろんな業界の名刺《めいし》が集まった。有名な食品会社、家電メーカーに製薬会社《せいやくがいしゃ》。プロ野球の球団運営会社《きゅうだんうんえいがいしゃ》、テレビ局、新聞社……。

タクシーをはじめ、高級なバーや料理店で「ここに請求《せいきゅう》してくれ」という作戦はおもしろいようにうまくいった。でっち上げのニセ名刺《めいし》ではこうはいかないだろう。そもそも同じ名刺《めいし》でサギを続けるのは危険《きけん》だ。

しかし、人は有名企業《きぎょう》の名前や肩書《かたが》きになんて弱いんだろう。たかが名刺《めいし》1枚《まい》で、女性《じょせい》にもモテること……！　一晩《ひとばん》だけ楽しく時間を過《す》ごし、最終的には女性《じょせい》にお金を立て替《か》えさせる。オレはこのゲームに夢中《むちゅう》になった。

ある夜のこと。バーでとなりに座《すわ》った若《わか》い女性《じょせい》に話しかけ、一流企業《いちりゅうきぎょう》の名刺《めいし》をわたすと、予想通り彼女《かのじょ》は目を輝《かがや》かせた。

「すごい。S社《エスしゃ》の広告部《こうこくぶ》のディレクターなんですか⁉」

女性《じょせい》ウケする化粧品《けしょうひん》会社の名刺《めいし》を出したから、この通りだ。

今晩《こんばん》知り合った女性《じょせい》は、超《ちょう》アタリだ。明るくて、かわいらしく、話も合う！


オレは困《こま》りはてていた。

そして、苦しみながら決意したんだ。こんな遊びからはきっちり足を洗《あら》うことを。


主人公は、なぜ名刺《めいし》サギから足を洗《あら》ったのだろうか。その理由を想像《そうぞう》してみてほしい。

解《かい》説《せつ》

主人公は、たまたまとなりに座《すわ》った女性《じょせい》をナンパして利用するつもりが、しばらく話すうちにずいぶん親しくなった。そして、本当に彼女《かのじょ》を好きになり、また会いたいと思っていることに気づいた。ふつうに自分で会計をすませたあと、彼女《かのじょ》の連《れん》絡先《らくさき》を教えてもらって別れたが、この先、ニセの名前や肩書《かたが》きでつき合いを続けるわけにはいかないのだ。

名刺《めいし》には、名前に加えて連絡先《れんらくさき》の住所、電話番号、メールアドレス、ホームページなどを記すのが一般的《いっぱんてき》だ。基本的《きほんてき》には、仕事の場で、これからおつき合いをする人と交換《こうかん》するもの。名刺《めいし》交換《こうかん》は気軽に行われるが、大事な個人情報《こじんじょうほう》が書かれているもの。悪用される可能性《かのうせい》もあるので、よくわからない相手にわたすべきではない。

20

となりのアンズ

危機《きき》↓逆転《ぎゃくてん》？

駅に友人のミドリカワを迎《むか》えに行って、帰ってくると、庭にアンズの実が2つ落ちていた。オレがアンズを拾って、となりの家との間のへいの上に並《なら》べると、ミドリカワが言った。

「ずいぶん、きちょうめんなんだね。」

「そりゃあ、となりの家のものだからね。」

オレが答えると、ミドリカワは感心した顔をする。

「へえ、わかってるね。たかがアンズといっても、所有権《しょゆうけん》は隣人《りんじん》にある。もし、『そちらに落ちたものは差しあげます』と言われてるなら別だけどね。」

さすが、ミドリカワはいかにも弁護士《べんごし》らしい言い方をした。

リビングに落ち着くと、オレは話の続きをした。しばらくモヤモヤしているこのアンズ問題、ミドリカワなら解決《かいけつ》してくれるかもしれない。

「アンズをもらったことなんか一度もないよ。となりのタネダさんは、ものすごいケチなんだ。オレたちが引《ひ》っ越《こ》してきて、あいさつをしに行ったとき、わざわざクギをさされたくらいなんだ。『うちのアンズがそちらの庭に落ちたら返してください。このアンズはすごくうまいから、タダであげられるようなものじゃないんですよ』って。」

「ふーん。めちゃくちゃ感じ悪いなぁ。そんなことを言うなら、となりに落ちないようにすればいいのに。」

そう、どっちかというと、主な問題はそこなんだ。

アンズを拾ってやるくらいは別にかまわない。

ただ、アンズの木の枝《えだ》がへいをこえてうちのエリアに入っているのが、かなりうっとうしいんだ。これまでに何度も「切ってくれないか」と頼《たの》んだのだけど無視《むし》されている。

「うちのエリアに入ってる枝《えだ》って、勝手に切っちゃダメなのかな？」

と言うと、ミドリカワは即答《そくとう》した。

「あ、それはダメ。どんなに迷惑《めいわく》でも、となりの木の枝《えだ》を勝手に切るのは法律的《ほうりつてき》にはアウトなんだ。」

「うちの庭に侵入《しんにゅう》してるのに？」

「うん。とりあえず日本の法律《ほうりつ》ではそういうことになってる。直接頼《ちょくせつたの》んでも切ってくれないなら市役所に相談して、役所の人から注意してもらうしかないかな。」

オレは考えこんだ。

『市役所に言いつけたんだって？』ってにらまれると思うと気が進まないな。

「そうか。それに、役所としても注意をうながす程度《ていど》で、強制的《きょうせいてき》に切らせることまではできないと思う。となると、残る手段は裁判《さいばん》だけど……そこまで大ごとにはしたくないよな？」

冗談《じょうだん》じゃない！

このくらいのことで、裁判《さいばん》なんてバカバカしい。

アンズ問題さえのぞけばこの家の住み心地はいいから、引《ひ》っ越《こ》しもしたくないし。

「なあ、ほかに何かいい方法はないかな？　できればタネダさんとケンカをしないで、枝《えだ》を切ってもらえる方法が……。」

すがるように言うと、ミドリカワはニヤッと笑った。

「そうだな……ないこともないかな。おとなりさんは、アンズの木を大切にしているんだろ？　その権利《けんり》が守られるのと同じように、おまえも自分の庭を自由にする権利《けんり》があることをわかってもらえばいいと思うんだ。」


ミドリカワにアドバイスをもらった翌日《よくじつ》。

よく晴れた日曜日。となりの庭をのぞくと、タネダさんのおじさんは、熱心に庭の草木に水をやっている。

オレは、タネダさんに声をかけ、にこやかに話し始めた。

「ぼくもうちの庭を手入れしようと思って。ほら、お宅《たく》のアンズの枝《えだ》がはみ出してきてる、この下あたりがドクダミやら雑草《ざっそう》だらけで。まず、これを処理《しょり》しようと思うんです。二度と生えてこないよう徹底的《てっていてき》にね……。」

ぼくがプランを話すと、タネダさんは「そうだ、お宅にはみ出した枝を切らないとね」と植木ばさみを持ってきて、枝《えだ》を切り始めた。それからオレのきげんをとるようにアンズを差し出し、「今後、もしお宅《たく》の庭にアンズが落ちることがあったらもらってください。これは本当においしいアンズですからね」などと言ったのである。

タネダさんが急に態度《たいど》を変えたのは、自分のエリアをおびやかされる迷惑《めいわく》を知ったためである。ミドリカワはどんなアドバイスをしたのだろうか。

解説《かいせつ》

ミドリカワは「除草剤《じょそうざい》を使おうとしている」と言うようにと、アドバイスしたのだ。アンズの木は、根っこも主人公の庭にはみ出してきている可能性《かのうせい》が高い。主人公が自分の庭に除草剤《じょそうざい》をまいたら、木が枯《か》れてしまうかもしれない。本来、除草剤《じょそうざい》を使う場合は、となりの庭の迷惑《めいわく》にならないよう、境界線《きょうかいせん》の近くでは使わないのがマナーだ。しかし、これまでタネダさんは一方的に主人公に迷惑《めいわく》をかけてきた手前、文句《もんく》を言うこともできないので、態度《たいど》を一変させたのだ。

これ以降《いこう》、主人公とタネダさんの関係は良好になったという。

ミドリカワさんの語ったルールをちょっと補足《ほそく》しておこう。となりの家の木から落ちた果物などは勝手にもらってはいけないし、のびてきた枝《えだ》や葉を勝手に切ってはいけない。だけど、となりの庭から地中をくぐり、地面から芽を出した植物を切るのはかまわない。「空中」はアウト、「地面」はセーフと覚えておくといい。

21

よく効《き》く安《あん》眠《みん》法《ほう》

失敗→なぜ？

タマネギの外皮をむき、包丁を入れるとツーンとしたにおいがただよう。

（ホントに、役に立つのかなぁ？）

アカネは、タマネギのスライスを小皿にのせると、半信半疑《はんしんはんぎ》でながめた。

（まあ、試してみる価値《かち》はあるかな。おばあちゃんのオススメだし。）

大学生になり、ひとり暮《ぐ》らしを始めたアカネは、ここのところ不眠《ふみん》に悩《なや》まされていた。新生活が始まって3か月がたつが、まだ緊張《きんちょう》しているのかもしれない。東京は、アカネの故郷《こきょう》と気候がだいぶちがうのも理由のひとつだろう。北海道育ちのアカネは、梅雨《つゆ》の蒸《む》し暑さを経験《けいけん》したことはなかったから。

部屋を暗くして目を閉《と》じても、眠気《ねむけ》がやってこない。「早く寝《ね》なきゃ」と、気持ちがあせるのにたえられず、目がさえるとわかっているのにスマートフォンに手をのばして動画を見たりしてしまう。そして、翌朝《よくあさ》、寝不足《ねぶそく》で後悔《こうかい》しながら大学に向かい、日中、ウトウトしている。

おばあちゃんから「ひとり暮《ぐ》らしはうまくいってるの？」と、電話がかかってきたのは、今日、晩《ばん》ごはんを食べ終わったころだった。相談すると、おばあちゃんはスラスラと知恵《ちえ》をさずけてくれたのだ。

おばあちゃんが最初に教えてくれたのは、アロマオイルを使う方法だ。

「ラベンダーとかヒノキとかのアロマオイルがいいよ。緊張《きんちょう》をほぐしてリラックスする効果《こうか》があるの。お湯を入れたコップに、2〜3滴《てき》、香りがただようくらい入れるでしょ。そのコップを枕元《まくらもと》に置くだけでいいの。」

アカネが「でも、アロマオイルなんて持ってないよ」と言うと……次に教えてくれたのが、タマネギのスライスを枕元《まくらもと》に置く方法なのだ。

「タマネギのにおいには、眠《ねむ》りをさそう効果《こうか》があるの。これは昔からよく知られてる方法なんだよ。絶対《ぜったい》に効《き》くから。」

おばあちゃんの声は自信満々《まんまん》だった。幸《さいわ》いタマネギなら買い置きがある。

アカネはタマネギの小皿をベッドのそばの棚《たな》に置くと、電気を消してベッドにもぐりこんだ。

ところが――この夜、アカネは一睡《いっすい》もできないまま、朝をむかえることになったのである。

タマネギのにおいは古くから「安眠《あんみん》の薬」と語り伝えられている。うまく眠《ねむ》りにつけないどころか、アカネがまったく眠《ねむ》れなかったのはなぜだろうか。

解説《かいせつ》

タマネギのツーンとするにおいのもとは「硫化《りゅうか》アリル」という成分だ。長ネギやニラ、ニンニクにもふくまれていて、緊張《きんちょう》をほぐし、気持ちをリラックスさせる効果《こうか》がある。安眠効果《あんみんこうか》は高いとされるが、この方法にはひとつ落《お》とし穴《あな》があった。それは、ゴキブリをおびき寄《よ》せてしまうことだ。タマネギは、においの強いものを好むゴキブリの大好物なのである。

眠《ねむ》りにつきそうになったところで、カサカサという不気味な音に気づき、飛び起きたアカネは生まれて初めて見たゴキブリに恐《おそ》れおののき、朝までまったく眠《ねむ》れなかったのだ。北海道にはゴキブリはいないので、おばあちゃんはこの問題点には気がつかなかったというわけ。翌日《よくじつ》、アカネはラベンダーのアロマオイルを手に入れた。ラベンダーの良い香りには、ゴキブリを寄《よ》せつけない効果《こうか》もある。その晩《ばん》から、アカネはやっと安眠《あんみん》できるようになったという。

22

暗闇《くらやみ》に血の香り

危機《きき》↓逆転《ぎゃくてん》？

シャープペンを置いて、ぼくは大きくのびをした。

来週の実力テストの成績《せいせき》がよかったら、新しいゲームを買ってもらえる約束になってるんで、ここのところがんばって勉強しているんだ。

時計を見ると、深夜12時。

ちょっと息ぬきにコンビニでも行くかなぁ。

両親の寝《ね》ている部屋の前をしのび足で通りすぎ、ドアの音を立てないようにこっそり外に出た。

住宅街《じゅうたくがい》はひっそりと静まり返っている。

ぼくのほかに歩いてるのは、ノラねこくらいだ。
開放感にひたりながら歩いていると、曲がり角のところにワゴン車が停《と》まってい
るのが見えた。
何か、大きな袋《ふくろ》を積み降《お》ろししている。それも2人がかりで。
ぼくが足をピタッと止めたのは、夜のひんやりした空気に混《ま》じって血のようなに
おいがただよってきたせいだ。

立ちすくんで様子をうかがっていると、大きな袋《ふくろ》をかかえている男の人の声が
はっきりと聞こえた。
「オレはスズキを始末するから。おまえはイトウの方を頼《たの》む。」
なんだって!?
あの袋《ふくろ》の中は、もしかして……。
家にもどろうと、くるりと向きを変えたとき、ウィンドブレーカーのポケットか
ら鍵《かぎ》が落ちてしまった。

カチャン。

物音に、男たちがこっちをふり返る。

運悪く街灯の下にいたから、ぼくの顔がやつらに見えてしまったかもしれない。

緊張《きんちょう》のせいで足がもつれて転んだぼくの方に、2人の男がかけ寄《よ》ってくる！

やつらの顔を見てしまったら、ぼくも殺《ころ》されるかも⁉

このときは、つかまって殺《ころ》されると思いこんでいて――まさか彼《かれ》らの「仲間」になる未来があるなんて思いもしなかったんだけどね。

絶体絶命《ぜったいぜつめい》のピンチに思えたが、主人公は殺《ころ》されたりはしなかった。男たちはいったい何をしていたのだろうか。真相を推《すい》理《り》してみてほしい。

解説《かいせつ》

男たちは、夜釣《よづ》りから帰ってきたところだったのである。主人公は、男たちが口にした「スズキ」と「イトウ」は人間のみょうじだと思ったが、それは釣《つ》ってきた魚の名前だったのだ。

スズキは最大で1メートルくらい、イトウは日本最大の淡水魚《たんすいぎょ》といわれ、1～1・5メートルほどに成長する。

クーラーボックスには入らないので袋《ふくろ》に入れてあったのだが、主人公から見れば人間が入っているかのように見えた。魚は鮮度《せんど》を保《たも》つためにあらかじめ血をぬいてきてあったので、付着した血のにおいがただよっていたのである。

男の人たちからすれば、たった1人で深夜に出歩いている主人公こそ「心配」な存在《そんざい》。しかも転んだりしたものだから、親切心からかけ寄《よ》ってきてくれたのだ。主人公は彼《かれ》らと親しくなり、その後、釣《つ》り仲間になったというわけ。

23

珍《めず》しい標本

失敗→なぜ？

「あーあ、もう夏休みも終わりか。このままおじいちゃんちにずっといたいなぁ。でも、まだやってない宿題あるんだよね。」

シンスケはあまえたような声で言うと、おじいちゃんの顔をうかがった。

おじいちゃんは、目を細めた。かわいい孫に「帰りたくない」と言われたらうれしいに決まっている。だが、その一方で、シンスケには下心があることも十分わかっている。

シンスケは、おじいちゃんが助《たす》け舟《ぶね》を出すことを期待しているのだ。

じつは、去年の夏休みにシンスケが泊《と》まりに来たとき、おじいちゃんはシンスケの自由工作を手伝ったのだ。といっても、作ったのはほとんどおじいちゃんである。その作品はクラスの代表として市の「自由研究・自由工作コンクール」に出展《しゅってん》され、賞《しょう》までもらった。それを聞いたおじいちゃんは「ちょっとやりすぎたかな」と、ひそかに反省したものだ。

「やってないのはなんの宿題なんだ？」

おじいちゃんが聞くと、シンスケはニヤッとして答えた。

「自然観察の自由研究だよ。今年の担任《たんにん》の先生は、植物とか虫が好きなんだって。」

「自然観察か。そういえば昔、よく昆虫標本《こんちゅうひょうほん》を作ったもんだよ。」

おじいちゃんは思わず身を乗り出したが、シンスケの目がキラリと輝《かがや》いたのを見て、あわててつけ加えた。

「ただし今年は手伝わないぞ。何をやるか、自分で考えるんだ。」

シンスケももう小学5年だし、あまやかしすぎると本人のためにならない。そう思って、おじいちゃんは心を鬼《おに》にしたのである。

「うん、わかった。」

シンスケは意外にもあっさりと引き下がった。

「でも、昆虫標本《こんちゅうひょうほん》を作るなんて、おじいちゃんすごいね。それ捨《す》てちゃったの？」

おじいちゃんは引き出しの中から、ガラス箱を取り出した。

「カブトムシとかタマムシとか、いろんな標本を作ったんだけどな。カビが生えたり、虫に食われたりしてダメになっちゃってな。でも、これだけは、高い標本箱に入れてあったからきれいだぞ。」

シンスケはガラス箱の中の、茶色っぽい羽の小さな虫をのぞきこんだ。

「えーと、これは……ガ？」

「いや、チョウだよ。ヒメチャマダラセセリっていうんだ。」

「ふーん、チョウなのか。体のとこがモフモフしてるから、ガかなって思ったんだ。そういえば、こんなチョウ見たことないや。」

あまり虫が好きではないと思っていたシンスケが興味《きょうみ》を示《しめ》したので、おじいちゃんはうれしくなってきた。

「じつは、その当時ヒメチャマダラセセリは発見されたばかりだったんだ。だから、この標本を持っていったら、学校ではちょっとした話題になったんだよ。」

「そうなんだ、おじいちゃん、すごいね！」

おじいちゃんが窓《まど》の外を見ると、さっきまでザーザー降《ぶ》りだった雨はいつのまにか上がり、晴れ間がさしている。

「雨が上がってるぞ。シンスケ、どうだ？　いっしょに虫捕《むしと》りにでも行ってみるか？」

すっかりきげんがよくなったおじいちゃんは、シンスケの宿題を手伝ってやりたいような気持ちになっている。

「ううん、だいじょうぶ。明日うちに帰って、自分で考えてやってみるよ。」


そう言いながら、シンスケはおじいちゃんの目を盗《ぬす》んでこの標本箱を勝手に持ち帰っていた。そして、箱にはってあった「ヒメチャマダラセセリ　1974年7月25日　小川文太郎《ぶんたろう》」と書いた紙をはがして先生に提出《ていしゅつ》したのである。

「おっ、標本か。みんな、見てごらん。力作だぞ。」

標本箱を受け取るなり先生がこう言ったので、シンスケは得意顔《とくいがお》になった。

(もしかしたら、今年も賞《しょう》をもらえるかもしれないぞ。)

「これはなんていう虫なんだ?」

先生に質問《しつもん》されると、シンスケは胸《むね》をはって答えた。

「ヒメチャマダラセセリです。」

「ヒメチャマダラセセリだって……?」

その名を聞くと、先生は難《むずか》しい顔になった。

シンスケの標本がコンクールに出展《しゅってん》されることはなかった。しかも、先生から注意された上に、結局は自分で作ったものではないのがバレてしかられたり、さんざんな結果になったのである。


なぜズルをしたのがバレたのだろうか。

解説《かいせつ》

ヒメチャマダラセセリは北海道の山地に生息するチョウで、天然記念物に指定されており、個人的《こじんてき》に採集《さいしゅう》することは禁止《きんし》されている。

だが、採集《さいしゅう》してはいけない「天然記念物」に指定されたのは、1975年のこと。おじいさんが捕《と》った1974年ならば、ぎりぎりセーフだったわけだ。

担任《たんにん》の先生は昆虫《こんちゅう》にくわしかったので、シンスケの標本がヒメチャマダラセセリだと聞いて、「採集《さいしゅう》が禁止《きんし》されている虫だ」とピンと来た。知らずに捕《と》ったのならともかく、ヒメチャマダラセセリと知っていて捕《と》ったとしたら注意しなくてはいけない。

「いつ、どこで捕《と》ったのか?」と聞かれるうちに、シンスケはウソをつき通せず、すっかり白状《はくじょう》してしまったわけなのだ。

24

本番1時間前

危機《きき》↓なぜ？

1週間にわたる公演《こうえん》の、初日の幕《まく》が上がるまであと1時間。

手のひらにじわっと汗《あせ》がにじんでくる。あたしは卒業記念公演《そつぎょうきねんこうえん》の主役を務《つと》めるケイトの代役で——実際《じっさい》は代役にチャンスが回ってくることなんてめったにないんだけど。

芸能《げいのう》の世界は競争が激《はげ》しい。ミュージカル研究所の同期生の中で、ケイトは頭ひとつぬきん出た存在《そんざい》だ。実力に加え、舞台監督《ぶたいかんとく》に取り入るこびの売り方も、ライバルをおとしいれる意地悪さも。

そういうあたしだって、潔白《けっぱく》な人間じゃない。口には出さなくても、毎日ケイトが病気になればいいと思ってた。そうすれば、ケイトの代わりにあたしが主役として舞台《ぶたい》に立てるから。

あたしは、どうかしてた。嫉妬《しっと》のあまり、とんでもないことをしてしまった。

さっき、リハーサルが終わって、ステージからだれもいなくなったスキを見て、あたしは舞台《ぶたい》そでに用意してあった、ケイトが飛び乗る台座《だいざ》に油をぬったのだ。あれに飛び乗ったら、ケイトは足をすべらせて転び、大恥《おおはじ》をかくだろう。足をくじくくらいのケガをするかもしれない。

刻々《こくこく》と、本番はせまっている。

今ごろ自分のしたことがおそろしくなってきたけど、もう、取り返しはつかない。舞台《ぶたい》そでにはスタッフがいっぱいいて、今から台座《だいざ》をふきに行くことはできない。ケイトに告白《こくはく》するべき？　ううん、そんなの無理。

じっとしていられずに、控《ひか》え室《しつ》の間のろうかをウロウロしていると、舞台監督《ぶたいかんとく》がかけ寄《よ》ってきた。

「アメリア、こんなところにいたのか⁉　ケイトが倒《たお》れたんだ。急に具合が悪くなって舞台《ぶたい》に立てる状態《じょうたい》じゃない。今、救急車《きゅうきゅうしゃ》を呼《よ》んだところだ。さあ、きみが主役をやるんだよ。グズグズしないで準備《じゅんび》をしてくれ！」

「え、本当ですか⁉」

まさか、望んでいたことが本当になるなんて⁉　あたしは、すばやく考えた。油をぬった場所をふまずに歩くことは――できなくない。だけど……。

「あの……あたしはできません……。すみませんが、あたしの次の代役のソフィアに頼《たの》んでください。」

主人公はケイトの代役として舞台《ぶたい》に立つのを望んでいたはずだ。それなのに、なぜ代役を辞退《じたい》したのだろうか。

解説《かいせつ》

主人公は、さっきまで元気だったケイトが本番直前に倒《たお》れたのは、だれかがケイトの食べ物に薬を盛《も》るなどしたためではないかと疑《うたが》ったのだ。

自分もケイトをおとしいれようと細工をしたのだから、ほかにそういう人がいてもおかしくない。ということは、もし、自分が主役として舞台《ぶたい》に立った場合、手段《しゅだん》を選ばない人物に何をされるかわかったものではない。

主人公は、自分が台座《だいざ》に油をぬったことを告白《こくはく》した。そして、自分の罪《つみ》を反省し、この世界から去ったのである。主人公が想像《そうぞう》した通り、ケイトは何者かに劇薬《げきやく》を盛《も》られていたが、一命はとりとめた。警察《けいさつ》が介入《かいにゅう》した結果、主人公と同様にケイトに嫉妬《しっと》した同期生が逮捕《たいほ》されたという。

25

ニラ玉チャーハン

失敗↓なぜ？

「もっと庭が広かったら、いろいろ育てられるんだけど」というのが、母さんの口ぐせだ。

数年前から、母さんは友だちの影響《えいきょう》でガーデニングに精《せい》を出すようになった。春にはチューリップやスイセン、マーガレット……そして今はヒマワリ、アサガオ、ホウセンカなんかがにぎやかに咲《さ》いている。最初は花だけだったのが、しだいに野菜にも手を出すようになって、オクラに大葉、ゴーヤやサヤインゲンなどがすくすく育っている。

小さな庭はちょっとした緑のジャングルだ。「ミントを摘《つ》んできて」って言われて、見つけられずにウロウロしてたら雑草《ざっそう》の間にまぎれてたりするし。

まあ、母さんによれば、「雑草《ざっそう》」っていうのは雑《ざつ》な言い方なんだって。勝手に生えてくる野草にも食べられるものがいっぱいあることを、オレもだんだん学習するようになった。母さんはドクダミの葉は乾燥《かんそう》させてお茶にする。春先にはツクシとかノビルも食卓《しょくたく》にのぼった。

庭から何かを収穫《しゅうかく》してきて料理するのが、うちでは日常的《にちじょうてき》になっていたんだ。


家族がみんな出かけてしまった、ある日曜日の昼下がり。

オレは、昼飯をどうしようかなと思いながら冷蔵庫《れいぞうこ》をのぞいていた。中学生になって、ちょっとだけど自分で料理をするようになったんだよね。

うん、チャーハンにしよう、卵《たまご》を入れて、ニンニクをうんときかせて。それから何か……と思って、オレは、庭を見わたす。そうだ、ニラ玉チャーハンがいい。

ところが、その後、オレは猛烈《もうれつ》な吐《は》き気《け》と腹痛《はらいた》にみまわれてしまったんだ。

卵《たまご》は賞味期限《しょうみきげん》のシールを確認《かくにん》したし、いたんでいるはずはない。
いったい、何が悪かったんだろう⁉

主人公は、食中毒《しょくちゅうどく》を起こしたようだが、何が悪かったのだろうか。手がかりは物語の中にある。

解説《かいせつ》

主人公が庭に出て、ニラだと思って摘《つ》んだのはスイセンの葉だったのだ。スイセンの葉には強い毒性《どくせい》があり、食べると30分以内に嘔吐《おうと》や下痢《げり》をひき起こす。スイセンは春先に花が終わったあと、初夏のころまでは葉が枯《か》れずに残ることが多い。

スイセンの葉とニラはよく似《に》ており、たびたび食中毒事件《しょくちゅうどくじけん》が起こっている。よく見れば、スイセンのほうがニラよりも葉があつく、幅《はば》も広い。そして、何よりニラの葉にはニンニクのようなにおいがあるので、摘《つ》んだときににおいをかげば、まちがうことはない。主人公は、チャーハンにニンニクを入れてしまったために、気づくことができなかったのだ。

主人公の症状《しょうじょう》は軽くすんだが、スイセンの葉を多量に食べた場合、死亡例《しぼうれい》もあるそうだ。主人公のお母さんはこの事件《じけん》のあと、すぐにスイセンをひっこぬき、以降《いこう》は「食べる野菜」と「鑑賞《かんしょう》する花」を育てるゾーンを分けたという。

26

共犯者《きょうはんしゃ》

失敗→なぜ？

古びた建物の裏口《うらぐち》から出てきたアルバートは、しげみにかくしておいた車をのぞきこんでいる男を見て、飛び上がるほど驚《おどろ》いた。

アルバートは、その男にかけ寄《よ》ると、脇腹《わきばら》にピストルの銃口《じゅうこう》をつきつけてささやいた。

「なんだ、おまえは？　警察《けいさつ》か？」

男は、突然《とつぜん》のできごとにあたふたして、口をパクパクさせた。

「ひ、ひえっ……あなたこそ、なんですか？　オレは、こんなところに車が停《と》めてあるなんて珍《めずら》しいなと思って、ついのぞいてしまったんです。すいません！」

男は、すぐそばのログハウスを指さして、アルバートに説明をした。

「あれは、オレの親父《おやじ》の別荘《べっそう》で。もう何年も来てなかったから、様子を見に来たんですよ。今じゃこのあたりは、見ての通りすたれちゃって、だれもいないし。」

「そうか。」

アルバートは、男の体から銃口《じゅうこう》をはなした。この男は、ぼんやりした中年という感じで、警察官《けいさつかん》が変装《へんそう》しているようには見えない。今も、男は青ざめてガクガクふるえている。

アルバートは男を信用することにしたが、ひとつ問題は残った。それは、自分の顔と、そして車を見られてしまったということだ。

アルバートは、男の腕《うで》をがっちりつかむと、少し考えた。

(こうなったら、この男をまきこんで利用しよう。こいつなら、どう見てもオレたちの仲間には見えないし。)

アルバートは男に、早口で説明した。

「30分後、あの建物の裏口《うらぐち》からオレの仲間が出てくる。オレは、そいつを車に乗せて逃走《とうそう》する手はずになっているが、その直後、警察官《けいさつかん》たちがあとを追ってくるだろう。オレは、車を発進させる前に、エンジン音を消すために花火を鳴らす。おまえは、その音に驚《おどろ》いて外に出てきたってことにするんだ。警察官《けいさつかん》は、おまえにたずねるはずだ。『黒いリュックをしょった男を見なかったか?』と。」

男は、目を白黒させながら言った。

「『だれも見ませんでした』と言えばいいんですね?」

「そうじゃない。オレはこっちへ行くから、おまえは反対側の道をさして、『男が1人出てきて、あっちへ歩いていった』と言うんだ。わかったな。この車を見たことは忘《わす》れろ。いいな?」

男は、「わかりました」と、何度もうなずいた。

アルバートは、ピストルを上着の内ポケットにしまうと札束を取り出し、「口止め料として取っておけ」と、男にわたした。

「えっ! こんなに……」と言いながら男は、アルバートに押《お》しつけられるままにそれを受け取った。じつは、この男は金に困《こま》っていたので……今では、ふってわいた幸運に少しワクワクし始めていたのだ。

「早くしまえ。どうせ、すぐにニュースが広まるから教えておこう。オレは、身代《みのしろ》金《きん》を要求した誘拐犯《ゆうかいはん》だ。ここで3億円分の純金《じゅんきん》を受け取って、誘拐《ゆうかい》したZ社《ゼットしゃ》の社長を解放《かいほう》することになっている。社長の秘書《ひしょ》が1人で来る約束だが、警察官《けいさつかん》も近くに待機しているに決まってる。ちょっと時間かせぎができれば助かるわけさ。」

アルバートは、最後に「裏切《うらぎ》ったら命はないぞ。裏《うら》の世界に、仲間はたくさんいるんだからな」と念を押《お》すように言うと、しげみに身をかくした。

やがて裏口《うらぐち》から、黒いリュックをしょった仲間が出てくるとアルバートは彼《かれ》をしげみのかげの車に誘導《ゆうどう》し、花火を鳴らした。「バン、バン！」というハデな音は、確《たし》かに、車のエンジン音をかき消すのにぴったりだった。

（へえ。犯罪《はんざい》のプロってのはたいしたもんだなぁ。）

男はそれを感心したようにながめていたが、警察官《けいさつかん》たちが出てくると自分の役割《やくわり》を思い出してハッと我《われ》に返った。警察官《けいさつかん》は、男に気づくと近寄《ちかよ》ってきて声をかけた。そして、まさにアルバートが予想した通りの質問《しつもん》をしたのである。

「おい、黒いリュックをしょった男を見なかったか？」

「ああ、見ましたよ。その人なら、あっちに猛《もう》スピードで走っていきました。」

男が、アルバートに命令されたように反対の道を指さすと、警察官《けいさつかん》たちはそっちへ走っていった。しかし、1人だけその場に残った警察官《けいさつかん》がいた。彼《かれ》は首をひねって言ったのである。

「ちょっと気になることがあるんですが。もう少し話をお聞かせ願えませんかね。」

そして、男は警察官《けいさつかん》につかまってしまったのである。


男はアルバートの指示《しじ》を守ったつもりだったが、仲間だとなぜバレたのだろうか。

解説《かいせつ》

男はアルバートに命令された通りに言ったつもりだったが、ひとつミスをおかしている。それは、「猛《もう》スピードで走っていった」と言ってしまったことだ。

男のリュックには、3億円分の純金《じゅんきん》が入っていた。大きさは、ランドセルにおさまるほどコンパクトだが、重さは30キログラムほどある。猛《もう》スピードで走っていくことなどできないはず。この答えを不自然だとにらんだ警察官《けいさつかん》は男を問い詰《つ》め、何もかも白状《はくじょう》させた。

結局はアルバートが運転する車の特徴《とくちょう》までバレてしまい、3億円分の純金《じゅんきん》を積んだ車は逃《に》げ切ることができなかったという。

27

警《けい》備《び》員《いん》との攻《こう》防《ぼう》

危《き》機《き》↓逆《ぎゃく》転《てん》？

最後に残っていた金を競馬でスッてしまって、ついにオレは一文《いちもん》なしになった。いろんな仕事についてはは1か月と続かずにやめたり逃《に》げ出したりをくり返し、フラフラその日暮《ひぐ》らしをしているうちに50歳《さい》になっちまった。これまで生きてこられたのが奇跡《きせき》だっていうくらい、オレってなまけ者なんだよなぁ。たまに金があるときは無計画にパーッと使っちゃって、貯金《ちょきん》なんかしたことはない。

もう金を貸《か》してくれる人の心当たりもないし、さて、どうするか。

オレの足は、なんとなくなじみの大型量販店《おおがたりょうはんてん》に向かっていた。

時間を持てあますと、よくここでブラブラして過《す》ごすんだ。パンやお菓子《かし》や飲み物なんかの食品、服やスポーツ用品、家電製品《かでんせいひん》までなんでもそろっている。マッサージ機を使ってみたり、買うつもりもないのに炊飯器《すいはんき》の性能《せいのう》を見くらべたりするのも退屈《たいくつ》しのぎになる。

それにしても腹《はら》がへったなぁ。

でも、ポケットの中には数えるほどの小銭《こぜに》しかない。

菓子《かし》パンを2つつかんで、トートバッグにむぞうさにほうりこんだ。

まあ、これじゃ足りないだろうな。

オレは店の通路を行ったり来たりしながら棚《たな》を物色する。視線《しせん》を感じて後ろをチラッと見やると、30代くらいの男が紅茶《こうちゃ》のパックをさも真剣《しんけん》そうに見つめている。

たぶんあいつは、万引きを取り締《し》まる警備員《けいびいん》だろう。警備員《けいびいん》の制服《せいふく》は着ないで、ふつうの客のフリをしながら万引き客をチェックするっていう――これまでオレは万引きで3回つかまったことがあるんでよくわかってる。今度つかまったら、刑務所《けいむしょ》にぶちこまれることになるだろう。

オレが売り場を移動《いどう》すると、そいつも距離《きょり》を保《たも》ちながらついてくる。

何か……もっと十分な獲物《えもの》を手に入れてさっさと出なきゃ。

オレは高そうなイカめしのレトルトパックと箱入りのカステラをバッグにつっこんだ。それから日本酒、缶詰《かんづめ》にチーズ……。


足早に店を出るやいなや、オレは肩《かた》をたたかれた。

「確認《かくにん》したいことがございますので、いっしょに事務所《じむしょ》まで来てもらえませんか。」

オレはフーッと息を吐《は》くと、素直《すなお》に言った。

「はい、わかりました。」


主人公はこの状況《じょうきょう》で、なぜ逃《に》げ出しもせず落ち着きはらっているのだろうか。

解《かい》説《せつ》

主人公は、もともと万引きをしてつかまることが目的だったのである。無計画に金を使いはたし、仕事をする意欲《いよく》もない主人公は罪《つみ》を犯《おか》して、刑務所《けいむしょ》に入ろうと考えたのだ。刑務所《けいむしょ》に入れば家賃《やちん》もいらないし、食事にもありつける。実際《じっさい》、行き場に困《こま》った人が万引きや無銭飲食《むせんいんしょく》などをして、わざと逮捕《たいほ》される例は少なくないという。

とはいえ、刑務所暮《けいむしょぐ》らしはラクなものではない。主人公は計画通り、刑務所《けいむしょ》に入れてしめしめと思っていたが、刑務所《けいむしょ》はホテルではない。仕事だってしなければならないし、何にしても自由は少ない。主人公は3年ほど刑務所《けいむしょ》で過《す》ごし、出所したのちは心を入れかえて地道に働くようになったのである。

28

水道SOS《エスオーエス》

危機《きき》↓なぜ？

そろそろお風呂《ふろ》入ろっかなと思ってから、2時間も横になってテレビを見てる。お風呂《ふろ》は好きなんだけど、いざ入るとなるとかったるいんだよね。

大学入学を機にひとり暮《ぐ》らしをするようになってから「早く入っちゃいなさい！」って、せかす人がいないもんだからダラダラしちゃって。ダメだなぁ、あたしって。

ようやく重い腰《こし》を上げて浴そうにお湯をためようとしたら、水が出ない。じゃ口を一度閉《し》めてまたひねる……を何度くり返しても、1滴《てき》も出ない。お風呂場《ふろば》から飛び出し、台所の水道を試したけどこっちもダメ。

なんで〜っ!?　ついさっきまではフツーに水、出てたのに！

もしかして、水道料金を払《はら》い忘《わす》れて、水を止められちゃったとか？

そんなわけないよね。水は生活の生命線だから、すぐ止まることはないって聞いたことあるもん。

とすると……断水《だんすい》？　断水《だんすい》のお知らせなんて、来てたっけ？

あたしは、郵便《ゆうびん》受けから持ってきたまんまになってたチラシのたばをめくり始めた。

チラシが郵便《ゆうびん》受けにゴチャゴチャにたまって、あふれかけてたんだけど、今日の昼に郵便《ゆうびん》受けを見たらきちんと整理されてた。「ええ〜、だれがやったの!?」ってびびったけど。

あんまりみっともないから、たぶん大家さんが整とんしたんだろうな〜て思ったらはずかしくなって、急いで持ってきたんだ。

ほとんど宅配《たくはい》ピザとお寿司《すし》屋さんのチラシで、あとは銀行からのダイレクトメールくらい。

ほーら、やっぱり断水《だんすい》の連絡《れんらく》なんて来てないじゃない。

あたしは水道局のお客様センターに電話をすることにした。

遅《おそ》い時間だから不安だったけど、ちゃんと電話がつながった。ありがたい！


「それはお困《こま》りですね。」

担当《たんとう》の人は、とても親切に接《せっ》してくれた。

水が出なくなった理由としては、水を供給《きょうきゅう》している元栓《もとせん》が閉《し》まっている可能性《かのうせい》が考えられるという。

「元栓《もとせん》ですか？　そんなのさわったことないし、どこにあるかも知らないですよ！」

「そうですよね。ですが、今できることとしましては、元栓《もとせん》を確認《かくにん》していただくのがよいかと思います。」

元栓《もとせん》は、屋外の地面にあるメーターボックスの中にあるそうだ。ああ、そういえば……マンションの1階の自転車置き場のあたりに四角い金属《きんぞく》のフタみたいなのがあったような？

元栓《もとせん》には部屋番号が書いてあって。ハンドルを右に回すと閉《し》まり、左に回すと開くんだって。

ていねいにお礼を言って電話を切ったけど。

自分でやるのめんどくさーい！

電話したら、水道局の人がかけつけてなんとかしてくれるのかなと思ったんだけど、こんな時間だしそうもいかないか〜。

スマートフォンを放り出して寝転《ねころ》がった。

外に出るなら、このヨレヨレの部屋着を着がえないとなぁ。

あと、もしかして懐中電灯《かいちゅうでんとう》とかないとダメかも？

防災袋《ぼうさいぶくろ》の中にあったと思うけど……。

もう何もかもめんどくさい！

明日、朝になってからでいいか。

なんかの手ちがいで、朝になったら水が出てるかもしれないし。

あたしは、ペットボトルの水をひと口飲むとベッドに倒《たお》れこんだ。

大きな声では言えないけど……あたし、歯みがきしないで寝《ね》ちゃってても平気なほうなんだ。

そして、次の日。

あたしは知ったんだ。面倒《めんどう》くさがりで、何かと先のばしにする自分の性格《せいかく》が、いいほうに転ぶこともあるんだなぁって。

主人公はこの夜、水道の元栓《もとせん》を調べに行かず、歯もみがかないで寝《ね》てしまった。それがよい結果につながったようだ。どのようなわけだったのだろうか。

解説《かいせつ》

次の日、主人公はマンションの敷地内《しきちない》にだれかが侵入《しんにゅう》し、わざと水道の元栓《もとせん》を閉《し》めていたことを知った。犯人《はんにん》は、主人公の部屋のほかにもう一軒《けん》の元栓《もとせん》を閉《し》めていた。そこの住人は元栓《もとせん》を調べに外に出てきたすきに、入れかわりに部屋にしのびこんだ犯人《はんにん》に部屋を荒《あ》らされてしまったのだ。面倒《めんどう》くさがりな主人公は、この夜に行動しなかったせいで危険《きけん》を避《さ》けられたことになる。

じつは、郵便受《ゆうびんう》けにたまったチラシを整とんしたのは、犯人《はんにん》のしわざ。郵便物《ゆうびんぶつ》を盗《ぬす》んで、住人の情報《じょうほう》を調べていたのである。主人公は大家さんが整とんしたと想像《そうぞう》したが、たとえ大家でも住人の郵便物《ゆうびんぶつ》を勝手にさわることはありえない。

ガスや水道のメーターは部外者でもさわれるところに設置《せっち》されている場合が多い。いたずらや犯罪《はんざい》の目的でいじるケースがあるので、警戒《けいかい》が必要だ。どんな場合でも夜に屋外に出るときは警戒《けいかい》をおこたらないこと。ちょっとゴミ出しに行くだけでも部屋には鍵《かぎ》をかけ、身辺にあやしい人がいないか注意するべきだ。

29

キャンプの夜

危機《きき》→逆転《ぎゃくてん》？

街灯がないと、夜ってこんなに真っ暗なんだ。

星がキラキラまたたく夜空を、オレたちはテントから顔を出してながめていた。

「星がきれいだな。」

ユウゴががらにもなくしんみりした調子で言ったから、オレとトウマは思わずクスッと笑ってしまった。

「なんだよ、おまえら！」

のしかかってくるユウゴを押《お》し返しながら、オレはとりなすように言った。

「ごめんごめん。うん、ホントにさ……こんな夜にオレたちだけでテントで寝《ね》るなんて最高だよな。」

このキャンプには親もいっしょに来てるんだけどね。

「小学生だけでテントに寝《ね》かせるなんて危《あぶ》ないでしょ」と、反対する母さんを説得《せっとく》できてよかった！

夕食のバーベキューを早めに終えると、オレたちは焼きトウモロコシやおにぎりの残りを夜食用にアルミホイルに包んでもらって、さっさとテントにやってきたんだ。

親たちは、少しはなれたところに停《と》めたキャンピングカーで寝《ね》ることになってて……きっと今ごろはビールでも飲みまくってるだろう。

「オレたちも一杯《いっぱい》やりますか。」

トウマが、紙コップにジュースを注ぐ。

「よーし、カンパイ！」

ぬるくなったオレンジジュースがやけにうまい。

親たちには「おやすみなさい」って言ってきたけど、まだ夜の8時。

テントの中でトランプしたり、夜の探検《たんけん》（もちろん親にはヒミツ）をしたりするつもりなんだ。

このときは、まさか危《あぶ》ない目にあうなんて思いもしてなかった。

もっと起きていたかったけど、11時ごろになるとさすがに眠《ねむ》くなってきた。

「歯みがき？　めんどくさいからパス」って言うユウゴをテントに残して、オレとトウマが炊事場《すいじば》に歯みがきをしに行くと。近くにたまってた不良っぽいヤツらがこっちをチラチラ見てたから、いやな予感はしたんだ。

早足で歩くオレたちのあとから、そいつらがついてくるのがわかった。中学生くらいかな。３人いる。

そして、テントに入ろうとすると、背中《せなか》から声をかけられたんだ。

「ねぇ、きみたちさぁ、おこづかいあまってない？」

「持ってないです。」

オレは勇気をふるって、きぜんとした態度《たいど》で言った。それからこう、つけたした。

「親と来てるんで。」

こう言えば、あきらめてどっかに行ってくれるだろうと思ったんだけど。

坊主頭《ぼうずあたま》のヤツが小ばかにしたように言ったんだ。

「でも、今は子どもだけなんだろ？」

「な、中に、親がいますよ。」

トウマがかぼそい声で言ったけど。

「どうかな？　ウソだろ？」

坊主頭《ぼうずあたま》はニヤニヤしながら近づいてくる。

なるほど……こいつは、テントの外に置いてあるユウゴの靴《くつ》を見て言ってるんだ。

ユウゴはオレらの中では一番大きいけど、それでも靴《くつ》のサイズは24センチくらいだ。

「本当です。親を呼《よ》びますよ！」

これ以上近寄《ちかよ》られたらまずい。

一か八か。オレは、テントに向かって言ったんだ。

「お父さーん！　変な人がいるんだけど！」

すると。

「おい、何をさわいでるんだ！　いつまでも遊んでないで寝《ね》なさい！」

テントの中から、聞いたことのない野太いどなり声が聞こえてきて……。

坊主頭《ぼうずあたま》たちは、一目散に逃《に》げていったんだ。

テントの中には大人はいないはず。いったい何が起こったのだろうか。

解説《かいせつ》

1人残っていたユウゴは、テントの外の会話を聞いていた。そして、ひと芝居《しばい》打つ準備《じゅんび》をしていたのである。

とはいえ大人の声をマネして低い声を出すだけでは、だませるか微妙《びみょう》なところ。そこでユウゴは、実験クラブで作ったことのある「声が変わって聞こえる装置《そうち》」を作ったのだ。

材料は、紙コップとアルミホイルだけ。紙コップの底を丸くくりぬき、口の側にアルミホイルをかぶせておおう。穴《あな》に口をつっこんでしゃべると、声がアルミホイルを振動《しんどう》させるためボワッとした太い声に変わるのだ。

30

サボりの達人

失敗→なぜ？

部活をサボるのにいい口実、何かないかなぁ。

朝のホームルームの間、ぼくは窓《まど》の外をながめながら頭をひねっていた。

中学生になったらバスケットボール部に入ろうって決めてたんだけど。入部してまだ3か月もたってないのに、ちょっと嫌気《いやけ》がさしてる。

ここまで練習がキツいとは思ってなかったんだよなぁ。1年生は基礎《きそ》トレーニングばっかりで、ボールを使う練習をあまりさせてもらえないし。土日がほとんど練習試合でうまっちゃうのも不満だ。練習試合は出番がないから、1日が長くて退屈《たいくつ》なんだよ。

で、明日の土曜は授業《じゅぎょう》もないし、まる1日サボっちゃおうと思ったわけ。

今まで「おなかが痛《いた》い」とか「歯医者に行く」とか「母がパートで残業することになったから、かわりに妹を塾《じゅく》に迎《むか》えに行く」とかいろいろなウソをついて放課後の練習をサボってきたけど、1日サボったことはない。明日は家でゴロゴロしてゲームざんまいだ！　想像《そうぞう》してニヤニヤしていると。

「ハナザワくん、聞いてるのか？」

いつのまにかそばに立っていたウエノ先生に名指しされて、飛び上がりそうになった。ウエノ先生はこの1年A《エー》組の担任《たんにん》で、バスケ部の顧問《こもん》でもある。若《わか》くて、気さくなアニキみたいなキャラで、男女問わず人気がある。サボる戦略《せんりゃく》を考えてる一方、ぼくもウエノ先生には嫌《きら》われたくないと思ってるんだ。

「あ……は、はい。」

「今日は何の日か知ってるか？」

今日は6月21日だけど……。なんだろ。先生の誕生日《たんじょうび》とか？

だまっていると、先生はぼくに教室の前に出るように言った。そして、カレンダーの今日の日付のマスに書いてある小さな文字を示《しめ》す。

「これを読んでごらん。」

「せ、先勝《せんしょう》……?」

「あ、それじゃなくて、こっちだ。」

先生が指さす文字を見ると……ああ、これ小学校のときに習ったな。

『夏至《げし》』ですね。」

「正解《せいかい》。今日は昼間が一番長い日ってことだな。夏に向かっていくけど、これから少しずつ昼が短くなっていくんだ。季節の移《うつ》り変わりは早い。ぼんやりしていると一年なんてあっというまに終わってしまうから、1日1日を大切にして……。」

まったくその通りだ。ぼくは自分の時間を大切にするためにサボるぞ!

ぼくは先生の話にうなずいて、また考えごとにもどった。

明日の朝になって、電話で「熱が出ちゃったので休みます」なんて言うのはいかにもウソくさい。部の仲間や先輩《せんぱい》にも「あいつ、サボりじゃないか?」って疑《うたが》われそうだ。今日中に、何かもっともらしいウソを考えなきゃ。

小さい用事じゃ、まる1日はサボれない。時間がかかって、みんなが納得《なっとく》するような用事っていうと……。

あの手を使うか。


「先生！」

帰りのホームルームが終わると、ぼくは教卓《きょうたく》にかけ寄《よ》った。放課後の部活が始まる前に話そうと思ったんだ。こういうのは後回しにしないのがコツ。

「おう、いっしょに体育館に行こうか。」

「それが……じつは今日と明日、部活を休まなきゃならなくなったんです。S《エス》県に住んでるおばあちゃんが亡《な》くなって。今日がお通夜で、明日がお葬式《そうしき》なので。これから父の車で向かうんです。」

「そうか。それはご愁傷様《しゅうしょうさま》。S《エス》県だと、車でもけっこうかかるだろうね。」

「しかもものすごい山奥《やまおく》なんです。父の実家なんですけど。」

これはホントだからね。ウソをつくときは、ホントのことを混《ま》ぜてしゃべると自分もその気になれるんだ。おばあちゃんもおじいちゃんもピンピンしてるけど……。

「わかった。明日も暑くなりそうだから熱中症《ねっちゅうしょう》には気をつけてな。」

ホッ。よかった。「おばあちゃんは病気だったの？」とかつっこんで聞かれたら面倒《めんどう》だと思ってたんだけど。

ところが……。ウエノ先生はしばらくだまって歩いていたけど、不意に立ち止まって言ったんだ。

「ハナザワくん、まちがってたらごめん。さっきの話、もしかしてウソじゃないかと思うんだけど。何かわけがあるなら話してくれないか？」

どうしてウソだとバレたのだろうか。

解説《かいせつ》

先生は熱中症《ねっちゅうしょう》について話したせいで、朝のホームルームで話した夏至《げし》の話題を連想し、さらに主人公がカレンダーに記された「先勝《せんしょう》」の文字を読んだことを思い出したのだ。

先勝《せんしょう》とは、日にちの吉凶《きっきょう》を占《うらな》う「六曜《ろくよう》（先勝《せんしょう》・友引《ともびき》・先負《せんぶ》・仏滅《ぶつめつ》・大安《たいあん》・赤口《しゃっく》）」のひとつ。結婚式《けっこんしき》などの祝いごとには縁起《えんぎ》をかついで最もよい「大安《たいあん》」を選び、「仏滅《ぶつめつ》」を避《さ》けるのが一般的《いっぱんてき》だ。

六曜《ろくよう》は「先勝《せんしょう》・友引《ともびき》・先負《せんぶ》・仏滅《ぶつめつ》・大安《たいあん》・赤口《しゃっく》」の順で循環《じゅんかん》するので、今日が先《せん》勝《しょう》なら明日は友引《ともびき》。友引《ともびき》は、「友を引く」と解釈《かいしゃく》され、葬儀《そうぎ》を行うのはタブーとされている。絶対《ぜったい》ではないが、土曜が友引《ともびき》だったら1日のばして日曜に葬儀《そうぎ》を行いそうなものではないか。ウエノ先生はそう考えたのだ。

主人公は、正直にウエノ先生に真実を話した。そして部活を続けたい気持ちを確《かく》認《にん》し、この日以降《いこう》ウソをついてサボることはやめたのである。

31

おじいちゃんの腕《うで》時《ど》計《けい》

失敗→なぜ？

お昼ご飯のあと、午後のピアノの試験までだいぶ時間があったので、大学のレッスン室を借りて最後の練習にはげんだ。それが、こんなことになるとは――。

ピアノの脇《わき》に置いた腕《うで》時《ど》計《けい》の針《はり》が止まってるのに早く気づけばよかったんだけど。

あわててスマホを見ると、ぼくの試験の予定時間を少し過《す》ぎていた。試験室に全速力で走り、どうにか試験は受けさせてもらえたけど。遅《ち》刻《こく》のせいで減《げん》点《てん》されてるかもしれないよなぁ……。

ちょっとの不注意で、これまでの努力が水の泡《あわ》か。おじいちゃんのことなんか無《む》視《し》して、いつものデジタルウォッチをしてくれればこんなことにはならなかったのに。

ひとりで暮《く》らしているおじいちゃんがぼくを呼《よ》んだのは2日前のこと。

ずっしり重い腕時計《うでどけい》をわたして、こう言ったんだ。

「受験の日にしていくといい。これは、物事がうまくいくお守りだから。」

この腕時計《うでどけい》は、おじいちゃんが生まれて初めて買ったものだという。ロレックスという高級メーカーの腕時計《うでどけい》で、1950年代のものなんだって。そのころのおじいちゃんには不相応《ふそうおう》な高価《こうか》な品だったけど、生活費《せいかつひ》を節約して手に入れて、ずっと大切に使ってきたんだって。

そして、大事なことがある日には必ずこの腕時計《うでどけい》をはめることにしていたそうだ。

「この時計はおまえにやろう。古いものだけど、きちんと時計屋さんにメンテナンスをしてもらってあるから安心して使ってくれ。幸運を呼《よ》ぶ時計だからな。」

なんて、ぼくの手をにぎりしめていうもんだから、こっちもすっかりその気になっちゃって。これまでデジタル数字の腕時計《うでどけい》しか使ったことがなかったたし、大人っぽくてカッコいいなと……ちょっと気に入ったんだけどさ。

幸運の時計じゃなくて、不運を呼《よ》ぶ時計なんじゃないか？　肝心《かんじん》なときにこわれるなんて。そういえばおじいちゃんは長いこと、ぼくが音楽大学に進むのを反対してた。いや、まさか受験の日にこわれるように細工できるわけもないけどさ。

止まった文字盤《もじばん》をながめていたら、頭の中に『大きな古時計』のメロディーがうかんだ。

100年間、時をきざみ続けてきた古時計が、持ち主のおじいさんが死んでしまうとともに動かなくなるっていう歌詞《かし》の曲。

もしかして、おじいちゃんに何かあったのか⁉　だから時計が止まったとか⁉

ぼくは、すぐにおじいちゃんの家に向かうことにした。

腕時計《うでどけい》はなぜ動かなくなってしまったのだろうか。

解説《かいせつ》

主人公がおじいさんの家にかけつけると、おじいさんはピンピンしていた。そして、「腕時計《うでどけい》が止まった」と文句《もんく》を言うと、調べたあげくこう答えたのである。

「そりゃあ、ネジを巻《ま》かなきゃ時計は動かないよ！」

主人公はこれまでデジタルの数字が表示《ひょうじ》される腕時計《うでどけい》しか使ったことがないと言っている。この時計は1950年代に作られた「機械式」のゼンマイ時計で、ネジを巻《ま》かないと止まってしまう仕組みなのだ。腕時計《うでどけい》は、「機械式」と「クォーツ式（電池で動く）」の2種類。「機械式」には、さらに「手巻《てま》き式（ネジを巻《ま》く）」と、「自動巻《じどうま》き式（腕《うで》につけている間は、腕《うで》の動きが動力となって自動的にゼンマイが巻《ま》かれる）」に分かれる。主人公がもらったのは「手巻《てま》き式」だったのだ。

試験に遅刻《ちこく》したものの、主人公は無事合格《ぶじごうかく》した。それから「油断《ゆだん》しないこと」を忘《わす》れないために、この腕時計《うでどけい》を大切に使い続けたという。

32

公園の平和を守れ！

危機《きき》→逆転《ぎゃくてん》？

「うわ、こっちに来る！」「やべ〜！」

地域《ちいき》パトロール員のヒロカワさんはひろびろとした緑地公園にさしかかったところで、声のする方を見やった。

夕暮《ゆうぐ》れの公園では3人の男の子がかけ回り……直後、さわぎ声にまぎれ、パンパンッと破裂音《はれつおん》がしたのである。

ヒロカワさんが近づいていくと、男の子たちは気まずそうに足を止める。

「きみたち。それはネズミ花火だね？　この公園では花火は禁止《きんし》だよ。」

少年たちのリーダー格《かく》であるカンタは一歩前に進み出ると、ヒロカワさんを見つめ返した。

「あ、そうなんですか。知らなかったです。」

「これからは、花火はやらないようにね。」

「はい、わかりました。」

カンタは礼儀《れいぎ》正しく言ったが、「用がすんだら早く帰れ」とでも言わんばかりの反抗的《はんこうてき》な目つきで、ヒロカワさんをじっとながめている。

ヒロカワさんが、後ろをチラチラふり返りながらその場をはなれると。

パンパンパーンッ！

ヒロカワさんは盛大《せいだい》な音にふり向いて、かけもどる。

「こらっ！　今、言ったばかりじゃないか！」

すると、カンタはニヤニヤしながら言ったのだ。

「今のは花火じゃありません。かんしゃく玉ですよ。」

「同じことだ！　それくらいわかってるだろう⁉」

ヒロカワさんは、今度はたっぷりお説教をした。彼《かれ》は今日からこの地域《ちいき》を担当《たんとう》するようになったのだが、初日からやっかいな相手に出会ってしまい、先が思いやられる気分だった。

(あの子たちは要注意だな。気を引きしめてかからないと。)


数日後。

3人の少年は、公園のしげみのかげに身を寄《よ》せ合っていた。

「あのパトロールのおじさん、完全にオレらのことマークしてるよな。前にいたおじさんは、あんなにきびしくなかったのに。」

「かんしゃく玉がまずかったよね。あれはやりすぎだったな。」

そう言いながらも、かんしゃく玉を投げた張本人《ちょうほんにん》であるアツシはペロリと舌《した》を出して笑った。

3人は、毎日この公園に集まっている。

あの日以降《いこう》、何も悪いことはしていないのに、おじさんがカンタたちを見張《みは》るような視線《しせん》を注いでくるのがうっとうしくてしょうがない。

マサヒコがいたずらっぽく目をクルクルさせる。

「ねえ。どうせなんかやらかすと思われてるならさ……期待にこたえて悪いことやっちゃう?」

「賛成《さんせい》。あいつをビックリさせてやろうぜ。」

少年たちはヒソヒソと悪だくみを始めた。


翌日《よくじつ》。日が落ちてだいぶ暗くなりかけたころ。

ヒロカワさんは、草むらの向こうにゴソゴソ動く人かげを見た。

(あの子たちだ。何かを運んでるみたいだが……。)

3人は、木のベンチをかついでいるようだ。

「おい、ベンチをどこへ持っていくんだ!」と声をかけると、少年たちはチラッとふり返り、全速力で走り出したのだ。

「待ちなさ〜い!」

ヒロカワさんは、けんめいに少年たちを追いかけた。

ベンチをかついでいるものの少年たちはなかなか足が速く……ヒロカワさんが追いついたのは、数分も走ったあとだった。

ヒロカワさんが帰っていく後ろ姿《すがた》を見送ると、3人はハイタッチをした。

「これからは、あのおじさんも少しはオレたちに対する態度《たいど》を変えるだろうな。」

ベンチを持ち出した少年たちは、ヒロカワさんに怒《おこ》られなかったようだ。いったいどういうわけなのだろうか。

解《かい》説《せつ》

3人が運んだベンチは、カンタの家の庭にあったものだった。この公園を見回るようになって間もないヒロカワさんが、そのベンチは公園のものだとかんちがいしたのも無理はない。また、3人はヒロカワさんを見つけた瞬間《しゅんかん》に走り出すことで、「ベンチを盗《ぬす》み出そうとしている」とヒロカワさんに思いこませることに成功したのだ。つまり、「後ろめたそう」に見せる演出《えんしゅつ》というわけ。

ちなみに、冒頭《ぼうとう》の「うわ、こっちに来る！」という言葉は予測不能《よそくふのう》な動きをするネズミ花火のことだったが、ヒロカワさんは自分のことを言ったと誤解《ごかい》した。ヒロカワさんにしてみれば、これも3人をより危険視《きけんし》する要因《よういん》につながっていた。

こんな形でヒロカワさんをからかうのはよくないが、ずっと疑《うたが》いの目で見られ続けるのもイヤなものだ。この一件《けん》でやりこめられたヒロカワさんも反省し、少年たちとの関係は良好になったのだ。

33

隣人《りんじん》の電話

失敗↓なぜ？

何やらブツブツ話し声が聞こえてくるな、と思いながら目を開ける。夜だ。そうか。今日は久《ひさ》しぶりの休日で。ベランダにイスを出して本を読んでいるうちに眠《ねむ》りこんでしまったらしい。オレはブルッと身ぶるいした。初夏とはいえ、夜は肌寒《はだざむ》い。部屋にもどろうと思ったとき。となりのベランダから「殺《ころ》す」とか「海に沈《しず》める」とか、ぶっそうな言葉が聞こえてきて、オレは耳をそば立てた。

隣人《りんじん》は、電話でだれかとしゃべっているようだ。

「次にやるのはオニザワの家族だな。大切な家族を殺《ころ》して、精神的《せいしんてき》に追《お》い詰《つ》めるんだ。これはゼロに手伝ってもらう。ゼロは表向きには死んだことになってるからバレやしない。その方がおもしろくなるだろう？」

まずいなぁ。聞くつもりはなかったのに……となりの住人は、どうもヤバい世界の人間らしい。これ以上聞かない方がいいと思って、静かに立ち上がろうとしたとき。

ガチャン！

手がぶつかって植木鉢《うえきばち》を落としてしまったんだ。

「おい！　あんた、今の話を聞いたな？」

ベランダの仕切り板からとなりの男が乗り出している。

「い、いえ……。何も聞こえませんでしたよ。」

オレは愛想笑いをしながら言ったが、とてもごまかせやしない。

「今聞いたことは絶対《ぜったい》にしゃべるなよ。」

男はいまいましそうに言うと頭を引っこめた。そして、となりの窓《まど》が乱暴《らんぼう》に閉《し》まる音がして――暗闇《くらやみ》の中、オレは急におそろしくなってきた。

聞いてしまった以上、すでにオレの身は安全とは言えないんじゃないか。

警察《けいさつ》に通報《つうほう》するか。いや……証拠《しょうこ》もないし、まず本気にしてもらえないだろう。

しかし、先手を打った方がいいだろう。考えたあげく、オレは自分が耳にした一部始終をインターネット上で公表することにした。あくまで「こんな会話を聞いた」というだけで、隣人《りんじん》の名前（そもそも知らない）や、おどされたということは書かなかったから、秘密《ひみつ》をバラしたうちには入らないだろう。ただ、オレに何かあったとき——襲《おそ》われたり殺《ころ》されたりしたらこれが証拠《しょうこ》になる。

次の朝。オレは、インターホンを鳴らす音で目が覚めた。いやな予感がしたので応答《おうとう》せずにカメラをのぞくと隣人《りんじん》がいて——意外なことを口走ったのだ。

「あれだけ言ったのに。出てこないなら訴《うった》えますよ！」

隣人《りんじん》は早くもインターネットの書きこみに気づいたようだ。なぜ主人公を「訴《うった》える」と言っているのだろうか。

解説《かいせつ》

じつは、隣人《りんじん》は有名なマンガ家だった。隣人《りんじん》は電話で編集者《へんしゅうしゃ》と、現在連載《げんざいれんさい》している大ヒット中のマンガのストーリーについて話していた。主人公はその作品を知らなかったが、話に出てきた「オニザワ」や「ゼロ」とはマンガのキャラクターの名前だったのである。マンガ家は、これから先のマンガの筋《すじ》を聞かれてしまったので「絶対《ぜったい》にしゃべらないように」と言ったのである。

主人公がインターネット上に書きこんだ内容《ないよう》は、瞬《また》く間にマンガの愛読者たちに見つかり、朝には「まさかのネタバレ」として大騒《おおさわ》ぎに。マンガ家は、作品の展開《てんかい》をバラされてしまったので「訴《うった》える」と乗りこんできたわけだ。

34

落《お》とし穴《あな》

失敗→なぜ？

「クウタの散歩に行ってきま〜す。」

これは、夜遅《おそ》い時間に出かけたいときの、魔法《まほう》の言葉だ。クウタを飼《か》うことになったとき、「ぼくが毎日散歩に連れていく」って約束したのが、こんなふうに役に立つとはね。

ビーグル犬のクウタはすごくりこうな犬だ。散歩が大好きで、「散歩」という言葉を聞きつけるとスッと立ち上がり、そばにやってきてうれしそうにグルグル回る。

家族の中で一番ぼくになついている愛犬をダシに使うのは、ちょっと悪いような気もするけど……。

学校の図書室で借りた本を読んでたら、落《お》とし穴《あな》でどろぼうをつかまえる場面があって。それがめちゃくちゃおもしろかったから、親友のジンにも読むようにすすめた。そしたらジンも気に入ってさ。

「ぼくたちも落《お》とし穴《あな》を掘《ほ》ろう！」って盛《も》り上がって、夜の9時に集合することにした。目的地は、毎日のクウタの散歩コースでもある近所の公園だ。

ジンは自転車でやってきた。塾《じゅく》の帰り道なんだ。親には「今日は算数の特訓授業《とっくんじゅぎょう》があるから、帰りが遅《おそ》くなる」って言っておいたんだって。

ぼくらは、公園のおくの方の、あまり人が来ない竹林に向かった。

公園に遊びに来た人が落《お》とし穴《あな》に落ちたら悪いし。そういえば、ママがここでタケノコを掘《ほ》る人がいるって言ってたのを思い出したんだ。公共の土地でタケノコを掘《ほ》るのはいけないんだって。タケノコどろぼうをこらしめるなら、ちょうどいいじゃないか!?

近くの木にクウタをつないで、作業を開始する。

ぼくがこっそり持ち出したシャベルと、ジンが塾《じゅく》のカバンに入れてきた小さいスコップを交代で使ったけど、大きな穴《あな》を掘《ほ》るのはひと苦労だった。まだ春先で、夜はけっこう寒いのに、ぼくらは汗《あせ》びっしょりになっていた。思ったより地面がかたかったんだ。座《すわ》りこむと、すっかり退屈《たいくつ》してウロウロしていたクウタが、汗《あせ》だくのぼくの顔をペロペロなめる。

「どのくらい深く掘《ほ》ればいいのかな？」

「ビックリすれば十分だから30センチくらいでいいんじゃない？」

本のさし絵には、腰《こし》まですっぽりハマったどろぼうの絵があった。そのくらいのを掘《ほ》るつもりだったけど、とても無理だ。

ぼくらは穴《あな》の上に木の枝《えだ》をわたし、その上に葉っぱとか土をかぶせた。

目立たないように、まわりの地面にも同じように葉っぱを散らして完成！

「やったな！」

ぼくとジンは満足してうなずき合った。

「でもさ……。」

ジンが、カバンや服についた土をはらいながら言った。

「よく考えたら、どろぼうが穴《あな》に落っこちるのを見られるわけじゃないよな。毎日見張《みは》るわけにいかないし。」

「あっ、そうか！」

そんなことにも気づかないとは、なんてバカなんだ！

ぼくはかなりガッカリしたが、気を取り直して言った。

「でも、毎日、見に来ようよ。だれかがそこに落ちたかはわかるじゃん。」

「そうだな。じゃあ、明日の放課後、見に来ようぜ。」

ジンはニカッと笑うと、自転車に乗って帰っていった。


だけど、次の日、ぼくは落《お》とし穴《あな》を見に行くことはできなかった。

学校に行ったらおなかが痛《いた》くなって病院に運ばれ……診断《しんだん》の結果は盲腸《もうちょう》で、入院することになったんだ。

手術《しゅじゅつ》は次の日に行われた。目を覚ますと夜で……ふと見ると、そばにはママとパパが座《すわ》っていた。

パパは、「気分はどうだ？」と言って、ニヤッと笑った。

「落《お》とし穴《あな》を掘《ほ》ったりしたバチが当たったんじゃないか？」


パパはなぜ、主人公が落《お》とし穴《あな》を掘《ほ》ったことがわかったのだろうか。

解説《かいせつ》

入院した主人公にかわり、パパはクウタを散歩に連れていった。しかし、クウタは主人公がいないのを不思議がって、落ち着かない様子。パパがいつもの散歩コースである公園に連れていくと、クウタは公園のおくの方へ引っぱっていき……そして、パパは落《お》とし穴《あな》に落ちてしまったのである。クウタは主人公のにおいを求めて、問題の場所に向かったのだ。

犬の嗅覚《きゅうかく》は、人間の1億倍ともいわれる。特に、敏感《びんかん》にかぎ分けられるのが、酢《さく》酸《さん》という、人間の汗《あせ》にふくまれる成分だ。警察犬《けいさつけん》が覚えたにおいを追うときは、地面についたわずかなにおいを感知しているのだ。ちなみにビーグル犬は、においに敏感《びんかん》な犬の代表格《だいひょうかく》である。

落《お》とし穴《あな》は、思わぬ大ケガを招《まね》く場合がある。死亡事故《しぼうじこ》につながる危険《きけん》もあるので、絶対《ぜったい》にマネをしてはいけない。パパは幸いケガをせずにすんだが、このあと穴《あな》をしっかりとうめておいたのである。

35

牧場の盗難事件《とうなんじけん》

危機《きき》↓逆転《ぎゃくてん》？

「マーサ、ミランダ。こちらはわたしの友人のフィリップよ。今日からうちに泊《と》まってもらいますからね。あなたたち、牧場の仕事をよく見せてあげてちょうだい。」

ウィルソン夫人はわたしを牧場に連れ出すと、さっそく2人の使用人を紹介《しょうかい》した。わたしは私立探偵《しりつたんてい》だが、表向きは「牧場の経営《けいえい》に興味《きょうみ》を持っている人」ということになっている。

ウィルソン夫人がわたしを呼《よ》び寄《よ》せたのは、ダイヤのネックレスがなくなったためである。パーティーにつけていったあと、ちゃんと元のところにもどしたはずなのに見つからないという。どろぼうが入ったのなら、ほかのものがなくなっていないのはおかしい。この家には、ウィルソン夫妻《ふさい》以外には2人の使用人が住んでいて――疑《うたが》わしいのはそのどちらかしかないというわけだ。

ここでは牛を牛舎《ぎゅうしゃ》に閉《と》じこめず、ひろびろとした草地で放牧している。牛たちがのんびりと草を食べている風景は、なんとものどかで気分がいい。

「あっ！」

わたしが声を上げると、近くにいたミランダがすぐに「どうかしましたか？」と、近寄《よ》ってきた。

「今、この牛がクギをくわえてたように見えたんだよ。危《あぶ》ないなと思って。」

「牛は木のさくからぬけ落ちたクギを見つけると、食べてしまうことがあるんです。」

「なんでクギなんか食べるんだい？　体に害はないのかな？」

「鉄分を補給《ほきゅう》しようとして食べちゃうんです。でも、定期的に胃《い》の中に磁石《じしゃく》を入れてクギを取り出すようにしているので、だいじょうぶなんですよ。」

2人とも何を聞いても親切に教えてくれるので、なんだか本当に牧場の勉強をしに来たような気分だ。

ぼんやり歩いていたら不意に足がズルッとすべり——転びそうになったのを、とっさにマーサが支《ささ》えてくれた。

「ありがとう！」

「気をつけてくださいね。あら……。」

わたしのネクタイピンと、マーサのロケットペンダントがピッタリとくっついている。

「おっと、失礼。このネクタイピンは磁石《じしゃく》でできていましてね。」

マーサが大きなコインほどのロケットペンダントを大事そうに作業着の胸元《むなもと》にしまうと、ミランダがからかうように言う。

「マーサは、いつもそのロケットペンダントをしてるけど、絶対《ぜったい》に中を見せてくれないのよ。恋人《こいびと》の写真が入ってるんだと思うけど。」

「いやね、ミランダ。そんな人、いないってば。中に入れてるのは両親の写真よ。」

マーサはミランダをぶつまねをすると、わたしの方をふり向いて笑った。

「またフンをふまないように気をつけてくださいね。牛たちは自由に体を動かして草を食べて……ここでフンをしますが、それがいい肥料《ひりょう》になるんですよ。」

ウィルソン夫人が言うように、2人ともとても感じがいい娘《むすめ》だ。2人のどちらかが犯人《はんにん》なんて思いたくないが……。

夕方になって屋敷《やしき》にもどると、ウィルソン夫人がわたしに「どこにもなかったわ」と耳打ちした。マーサとミランダが牧場にいる間に、ウィルソン夫妻《ふさい》は徹底的《てっていてき》に2人の部屋を調べていたのだ。マーサとミランダは仕事を始める前に、夫人が用意した作業着に着がえている。2人がぬいだ洋服のポケットも洗《あら》いざらい調べたそうだが……では、ダイヤのネックレスはどこに消えてしまったんだろう？

「フィリップさん。おはようございます。」

翌朝《よくあさ》、朝食のテーブルにつくとマーサとミランダが笑顔であいさつをしてくれた。2人はそろって作業着姿《すがた》だ。

「わたしたち、ひと仕事してきたんですよ。しぼりたてのミルクをどうぞ。」

ミランダが大きなピッチャーから、ミルクを注いでくれた。

そのとき、わたしはちょっとしたことを思いついたのだ。

テーブルからさりげなくナプキンを落とすと、すぐにマーサが気づいて拾おうとする。ひざまずいたマーサにかかるように、ひじでミルクのコップを倒《たお》す――。

「きゃっ！　フィリップさんってお っちょこちょいですね！」

マーサは、ミルクがしたたる作業着のえり元をヒラヒラさせて言った。

「本当にすみません！」

あやまりながら、わたしは確信《かくしん》していた。マーサが犯人《はんにん》であることを――。

主人公は、何かを確《たし》かめるためにわざとミルクを倒《たお》してマーサにかけた。マーサを犯人《はんにん》だとにらんだ理由、ダイヤのネックレスのありかを推理《すいり》してほしい。

解《かい》説《せつ》

マーサはダイヤのネックレスを盗《ぬす》むと、ロケットペンダントの中にかくしていた。ふだん身につけているとはいえ、絶対《ぜったい》に安全なかくし場所ではない。そこでマーサは、この「磁石《じしゃく》につくロケット」を牛に食べさせ、胃《い》の中にかくしたのである。

主人公は、マーサが「いつもつけている」はずのロケットをしているか確《たし》かめるために、わざとミルクを浴びせかけたのだ。

牛は、鉄分を補給《ほきゅう》するために小石や鉄クギなどを飲みこむ習性《しゅうせい》がある。これがたまると胃《い》を傷《きず》つけてしまうので、牧場で飼育《しいく》する牛にはあらかじめ磁石《じしゃく》を飲ませている。そして、定期的にもっと強い磁石《じしゃく》によって、クギなどをすいつけた磁石《じしゃく》ごと取り出されるのだ。

主人公の推理《すいり》によって、夫人のダイヤのネックレスが入ったロケットペンダントは牛の胃《い》から回収《かいしゅう》され、マーサは盗難事件《とうなんじけん》の犯人《はんにん》として逮捕《たいほ》されたのである。

36

撮影現場《さつえいげんば》から

失敗↓なぜ？

「フジカの出番、まだかなぁ。」

「もしかして、ツカサくん……あのロケバスで待機してるんじゃない？」

ロケ現場《げんば》のまわりに集まってくる人たちの数は、さっきより確実《かくじつ》に増《ふ》えている。

撮影《さつえい》スケジュールは関係者以外には秘密《ひみつ》なのに、どこからもれちゃうんだろう。

ヒロインは若手《わかて》ナンバーワン女優《じょゆう》のキサラギフジカで、その恋人役《こいびとやく》はこれまた人気絶頂《ぜっちょう》のアイドルグループのニシキノツカサだから、こうなるのもしかたないんだろうね。スターを熱心に追いかける「追っかけ」の人たちのネットワークはすごいから、まだまだ増《ふ》えそうだ。

このサスペンス・ラブロマン映画《えいが》のメガホンをとるのは、世界的にも評価《ひょうか》が高いカネキ監督《かんとく》なんだけど。

監督《かんとく》は、セットを作っているスタッフに指示《しじ》をしているけど、野次馬の多さにイライラしている様子。まずいなぁ、なんとかしなくちゃ。

映画会社《えいがかいしゃ》の「制作部《せいさくぶ》」に属《ぞく》するわたしの主な仕事は、撮影《さつえい》がスムーズに運ぶよう、環境《かんきょう》を整えることなのだ。

でも、経験上《けいけんじょう》、「撮影《さつえい》のじゃまになりますから帰ってください」と、ふつうに頼《たの》んでも聞いてくれやしない。「キサラギフジカさんもニシキノツカサさんも、ここにはいませんよ」と単純《たんじゅん》なウソを言ったところで、だまされない。

今日は、クライマックスのシーンを撮影《さつえい》する。

事件《じけん》が解決《かいけつ》された（かと思った）あとに、フジカさんとツカサくんが、たき火をしながらいいムードになる。ところが、そこに真犯人《しんはんにん》が現《あらわ》れるという場面だ。

消火器を車からおろしていると……背後《はいご》から「あれ、消火器とか使うんだ？」と不安そうにささやく声が聞こえた。

そうだ。これを利用すれば……。

わたしはふり向くと、2人の女性《じょせい》に答えた。

「ここだけの話、今日は火を使う危《あぶ》ない撮影《さつえい》なんです。たくさん人が集まると、最悪、事故《じこ》にもつながりかねません。帰っていただけませんか。」

「え！　やだ……こわい」「わかりました。知り合いにも伝えます！」

女の人たちは小走りで、はなれていった。

大声でどなるより、こんなやり方のほうが確実《かくじつ》に多くの人に伝わりそうだ。

このときは、うまくいったと思ったんだけど……。


結果的には、主人公のねらい通りにはいかなかったらしい。このあと、どうなったのだろうか。

解説《かいせつ》

女性《じょせい》2人は知り合いに話し、それを小耳にはさんだ人がまたほかの人に伝え……「火を使う危《あぶ》ない撮影《さつえい》をする」という情報《じょうほう》はすっかり行きわたった。

計算ちがいだったのは、「危《あぶ》ない場面」を見たがる人が多いということ。

うわさが広がり、撮影現場《さつえいげんば》にはさらにたくさんの人が詰《つ》めかけてしまった。「立《たち》入禁止《いりきんし》」を示《しめ》す仕切りロープをはったものの騒然《そうぜん》とした雰囲気《ふんいき》になり、撮影《さつえい》の進行にも影響《えいきょう》が出てしまったのである。

人間は、好奇心《こうきしん》が強い動物。火事など、危《あぶ》ないとわかっていても「見たい」と思ってしまう気持ちはだれにもあるだろう。特に現代《げんだい》では、事故《じこ》や災害《さいがい》などのとき、危険《きけん》な様子をスマートフォンで撮影《さつえい》しようとする人が多いが、本当に危《あぶ》ないので絶対《ぜったい》にやめてほしい。危険《きけん》な環境《かんきょう》にたくさんの人が集まれば二次的な事故《じこ》が起こる可能性《かのうせい》は高まるし、現場《げんば》で作業をする人のじゃまになるのだ。

37

大観覧車《だいかんらんしゃ》

危機《きき》→逆転《ぎゃくてん》？

「ユウミとタジマくん、絶対両想《ぜったいりょうおも》いだよ。まちがいないって！」

親友にこう言われてうれしかったけど。あたしの返事は「そうだといいけど……わかんないな」と、だいぶ歯切れが悪くなった。

ずっと好きだったタジマくんと、この修学旅行《しゅうがくりょこう》では同じ班《はん》になれて。前から仲いいほうだったけど、友だちの協力もあってグッと距離《きょり》がちぢまった感じ。

「いっしょに写真撮《と》ろうぜ」って、タジマくんから言ってくれてツーショット撮《と》ったり。ホールで夕食を食べたあと、「これ、さっき買ったんだけど」って……おそろいのキーホルダーをプレゼントしてくれたり。

明日は、修学旅行《しゅうがくりょこう》最後の日。うちの中学には「伝説」があってね。自由行動では、ほとんどの班《はん》がフラワーファンタジー・ランドっていう遊園地に行くんだけど。ここの大観覧車《だいかんらんしゃ》に2人きりで乗って一周すると恋人同士《こいびとどうし》になれるんだって。これは、今ではだれでも知ってる話で……つまり、観覧車《かんらんしゃ》に2人で乗るってことは告白《こくはく》するのと同じ意味になるわけ。

だから、キーホルダーもらったときに思いきって「フラワーファンタジー・ランド、楽しみだね」って言ったんだけど。

「ああ、そうだね……」って、タジマくんの返事はなんだかそっけなかった。

もしかして、タジマくんもあたしのこと好きかもって気がしてるの、ただの思いこみなのかも。

次の日。フラワーファンタジー・ランドに着くと……班《はん》の仲間はいきなり大観覧《だいかんらん》車《しゃ》の方に歩き出したんだ。そして、観覧車《かんらんしゃ》の前の列に並《なら》ぶと、急にあたしとタジマくんを残して「あ、飲み物買ってくるー」って、走っていっちゃった。

「おまえら、待てよ!」って言う、タジマくんの顔、真っ赤だ。

「どうしよ……。」

うれしいのとはずかしいのが混《ま》ざった気持ちでドキドキ。タジマくんの横顔を見上げると、緊張《きんちょう》してるみたいなこわばった顔してる。

無言で並《なら》んでたら、すぐにあたしたちが乗る番に。

ところが、タジマくんは……。

「ごめん」ってひとことだけ言うと、あたしに背《せ》を向けて歩き出したんだ。

え……そんな。両想《りょうおも》いっぽいって思ってたの、あたしの思いこみだったの!?

ブワッと涙《なみだ》があふれてきて、頭の中が真っ白になっちゃった……。


前日までは両想《りょうおも》いまちがいなしと思われた2人。タジマくんはどんな心境《しんきょう》だったのだろうか。

解《かい》説《せつ》

タジマくんは高所恐怖症《こうしょきょうふしょう》。ジェットコースターはおろか、観覧車《かんらんしゃ》でさえ足がすくんでしまう体質《たいしつ》だった。タジマくんも「観覧車《かんらんしゃ》」ルールは知っていたのだが、好きな女の子に「観覧車《かんらんしゃ》がこわい」と言うのがはずかしくて、こんな不器用な態度《たいど》をとってしまったのだ。もし、真っ先に観覧車《かんらんしゃ》に向かっていなければ、班《はん》のみんなもいる場で打ち明けることができていたかもしれないが。

一時は絶望《ぜつぼう》した主人公。だが、このあと、班《はん》の仲間がタジマくんに話を聞いてくれ、真相が判明《はんめい》した。

タジマくんは主人公にあやまり、園内のコースをのんびり走るミニ電車に2人で乗り、きちんと告白《こくはく》をしたそうだ。めでたしめでたし。

38 フランス帰りの料理人

危機《きき》→逆転《ぎゃくてん》？

あたしはビストロの前に着くと、スマートフォンを取り出した。

「本日貸切《かしきり》　M《エム》大学映画《えいが》研究会様　金賞《きんしょう》記念パーティー」という札を写真におさめて、ドアをそっと押《お》すと。

「みんな〜、やっと主役が来たよ！」

ドアのそばであたしを待っていたらしいルナが声を上げたので、みんなが拍手《はくしゅ》で迎《むか》えてくれた。

「遅《おそ》かったね、エリカ！」

「ごめんね。アルバイトが長引いちゃって。」

「まあまあ、エリカが来たところでもう一回カンパイしよう。」

ここに集まっているのは、大学の映画《えいが》研究会のメンバーたち。あたしたちが自主制作映画《せいさくえいが》のコンテストに送った作品『なんちゃって伝説』が入賞《にゅうしょう》したという知らせが来たのは先週のこと。今日はその祝賀パーティーなんだ。

「エリカ、おなかへってるでしょ。どんどん食べて！」

ルナがテーブルの上に並《なら》んだ料理をお皿に取り分けてわたしてくれる。

「すごいごちそうだね。会費《かいひ》千円にしてはずいぶん豪華《ごうか》じゃない？」

あたしは、さっそくコロッケをほおばった。うん、おいしい！

「部長が交渉《こうしょう》したらしいよ。経費《けいひ》はできるだけ節約するけど、パーティーらしく華《はな》やかに見えるように工夫してくれたんだって。」

このビストロは、部長のおじさんがやってるお店なのだ。どの料理もおいしい！食べ始めたら止まらなくなって、あたしはみんなとおしゃべりしながら、次から次へと食べまくっていた。

「エリカ、ちょっとは味わって食べてくれよ。おじさんは仮《かり》にもフランスで修業《しゅぎょう》してきた本格派《ほんかくは》のシェフなんだから。」

部長があたしの頭をちょんとつついた。やだ、はずかしい！　部長のとなりのコック帽《ぼう》をかぶったおじさん――店長さんが、笑いかけてくる。

「いいんですよ。おいしく食べてもらえたらそれで満足です。あ、ちなみにこれが今日のお品書きです。」

おじさんは、みんなが置きっぱなしにした取り皿の下から、１枚《まい》の紙を引っぱり出した。

～『なんちゃって伝説』特別メニュー～
ウナギのソテー赤ワインソース添《ぞ》え
カニクリームコロッケ
地中海風パエリアマツタケ入り

あたしの目は、3行目に釘《くぎ》づけになった。うそ、マツタケ!?

パエリアの中にキノコが入ってたけど、あれ、エリンギじゃなかった?

「いっぱい食べちゃったけど……あたし、マツタケのアレルギーなんだ。」

顔から血の気が引いていく。だってマツタケなんて高級品、めったに食べる機会なんてないもの。油断《ゆだん》してた。

小さいころにマツタケを食べて強いアレルギー症状《しょうじょう》が出て以来、口にしたことがないけど。どうなっちゃうんだろう。心配で頭がグルグルしてきた。

じんましんとか軽い症状《しょうじょう》ですむかもしれないけど。もしかしたらアナフィラキシーっていう強い——命にかかわるような症状《しょうじょう》が出る可能性《かのうせい》もなくはないらしい。

アレルギーの説明をすると、みんながザワザワし始めたけど、店長さんはニヤニヤして言ったんだ。

「心配しなくてもだいじょうぶだって。」

ひどい!　いるんだよね、こういう人。食物アレルギーがどんなにおそろしいか知らないで「そのくらいで大騒《おおさわ》ぎしなくても」みたいに言う人。

「今、救急車《きゅうきゅうしゃ》、呼《よ》んだから」というだれかの声が聞こえてホッとしたとき。
店長さんは顔色を変えて言ったんだ。
「え、ホントに呼《よ》んじゃったの⁉　困《こま》るなぁ。」
最低！　この人って、自分の店の名にキズがつくことだけを心配してるわけ⁉
幸いにも、アレルギー症状《しょうじょう》は出なかった。
だけど、これを笑い話として話すにはしばらく時間がかかると思うんだ……。

店長はなぜ「救急車《きゅうきゅうしゃ》を呼《よ》ばれては困《こま》る」と言ったのだろうか。

解説《かいせつ》

低予算で豪華《ごうか》なメニューを提供《ていきょう》しようと考えた店長は、ウナギに似《に》せた白味魚、カニではなくカニカマなどすべて高級食材の「代用品」を使っていた。メニューで「マツタケ」としていたのも、実際《じっさい》はエリンギ。すべて映画《えいが》のタイトルにひっかけた「なんちゃって」メニューだったわけだ。

食物アレルギーがある人は、原因《げんいん》となる食物を少しでも食べると命にかかわる場合もある。特に患者数《かんじゃすう》が多いのは卵《たまご》、牛乳《ぎゅうにゅう》、小麦、エビ、カニ。また重い症状《しょうじょう》につながりやすいのはソバ、ピーナッツなど。症状《しょうじょう》はさまざまだが、じんましん、目の充血《じゅうけつ》、口の中やのどがはれる、嘔吐《おうと》や腹痛《ふくつう》が起こることも。いくつかの症状《しょうじょう》が同時に現《あらわ》れて急に容態《ようだい》が悪化することを「アナフィラキシー・ショック」という。万が一原因《げんいん》となるものを食べてしまった場合は、個々《ここ》に処方《しょほう》されている薬品を速やかに使用し、救急《きゅうきゅう》車《しゃ》を呼《よ》ぶなど対処《たいしょ》する必要がある。この話の場合は、じつはマツタケを食べていないとわかったため、すぐに119番に取り消しの連絡《れんらく》をすることになった。

39

校舎《こうしゃ》裏《うら》の対決

危機《きき》→なぜ？


校舎《こうしゃ》の裏《うら》で北風に吹《ふ》かれながら、オレはサカザキをにらみつけていた。

うちの中学のワルっぽいグループの中で、オレはリーダー格《かく》だ。背《せ》も高いし、フツーのやつらはオレをこわがってるのに、こいつはちがう。成績《せいせき》が学年一らしいけど、えらそうっていうかオレを見下してる感じがするんだよな。

今日、球技《きゅうぎ》大会のサッカーで審判《しんぱん》をやってたサカザキは、オレから3回も反則《はんそく》をとりやがったんだよ。恥《はじ》はかかされるし、試合には負けるしさんざんだ。

こんな寒くて風の強い日にマジメにサッカーやったってのに。

「なあ、サカザキ。おまえさぁ、オレにうらみでもあんのかよ？」

「モリノくんにうらみなんてないよ。あくまで公平な目で審判《しんぱん》をやっただけだから。」

あー、この調子だよ。素直《すなお》にあやまれば許《ゆる》してやるのに。

ふと、ポケットにつっこんだ手が折りたたみナイフにふれた。おじさんにもらったおみやげでさ。見せびらかそうと思って何気なく持ってきたんだ。

「あ、そう。オレにさからうってわけ？」

脅《おど》すつもりで、オレはナイフの刃《は》を出してみせた。アクションマンガの登場人物みたいな気分で。どうだ、さすがのサカザキも顔色が変わったぜ。

「おい、やめろよ……。」

もうちょっとこわがらせてやるか……と、さらに距離《きょり》を詰《つ》めたとき。

ビュウ〜ッ
ものすごい突風《とっぷう》にあおられて、オレは大きくよろけた。クソ、目に砂《すな》が入ったし！

「ひどい！　ホントに切るなんて！」

うつむいて目をゴシゴシこすっていたオレは、サカザキのさけび声に驚《おどろ》いて顔を上げた。サカザキのふくらはぎには、パックリと大きな傷《きず》が開いている！

「え……オレ、やってないぜ。」

サカザキは足をおさえながら、遠くにいる先生を見つけてどなっている。

「先生！　来てください！　モリノくんに刺《さ》されました！」

あっというまに先生たちが集まってきて、サカザキは保健室《ほけんしつ》に連れていかれた。

「オレ、刺《さ》してないよ。本当なんだ。信じてよ！」

「モリノ、落ち着け。話はこれからゆっくり聞くから。」

そう言いながらも先生はサカザキの味方なんだろ⁉　これはサカザキの陰謀《いんぼう》なんだ。あいつ、どんな手を使ったんだ⁉


サカザキは足に大きな傷《きず》を負った。主人公はナイフを持ってサカザキにせまったが、刺《さ》してはいないと主張《しゅちょう》している。いったい何が起こったのだろうか。

解説《かいせつ》

主人公のナイフはサカザキにふれていない。また、サカザキが主人公をおとしいれるために何か仕組んだわけでもない。サカザキのふくらはぎが大きく切れたのは、珍《めずら》しい自然の現象《げんしょう》「かまいたち」のしわざだったのだ。「かまいたち」とは、何にもふれていないのに突然《とつぜん》、ほおや足などにかまでスパッと切ったような鋭《するど》い切り傷《きず》ができる現象《げんしょう》だ。昔は妖怪《ようかい》のしわざと考えられ、「かまいたち」と名づけられた。

じつは現代《げんだい》でも、なぜ「かまいたち」が起こるのかは解明《かいめい》されていない。ただ、「気温が低く、空気が乾燥《かんそう》した強風の日」に発生しやすいことから、「砂《すな》や小石の粒《つぶ》が高速でぶつかり、乾燥《かんそう》しているために肌《はだ》が切れる」と考えられている。かまいたちの傷《きず》は大きく切れるが、出血や痛《いた》みは少ない。これは寒さのため血流が良くなく、痛《いた》みの感覚が鈍《にぶ》っているためと推測《すいそく》されている。

ナイフを持ってきたことで厳重《げんじゅう》注意は受けたが、ナイフに血がついていなかったこと、傷《きず》がかまいたちの特徴《とくちょう》そのものだったため、主人公の無実は証明《しょうめい》された。

40

朝ご飯はなあに？

危機《きき》↓なぜ？

「あ～もう梅雨《つゆ》時って、髪《かみ》が決まらなくってホントにやだ。ねえ、お母さーん、あたしのご飯は？」

制服《せいふく》のリボンを結びながら階段《かいだん》をかけおりてきたサワは、食卓《しょくたく》を見回した。

「テーブルの上におにぎりがあるでしょ？」

となりの部屋にいるお母さんは、いそがしく手を動かしながら返事をした。小学3年のアツシが出かける直前になって「体操着《たいそうぎ》にゼッケンをつけて」なんて言い出したから、あわててお裁縫箱《さいほうばこ》を引っぱり出したのだ。

「ないよ！　あ、もしかしてあんた、あたしの分も食べちゃったの？」

アツシは麦茶を飲みほし、ケロリとして言った。

「お姉ちゃん、もう食べ終わったと思ったんだもん。」

サワは起きてきて一度テーブルについたのだが、髪《かみ》の毛のハネに気がつくといてもたってもいられなくなった。朝食は後回しにして、2階の洗面所《せんめんじょ》でドライヤーをかけている間にアツシがやってきて、サワの分まで食べてしまったらしい。

お母さんは2人のやりとりを耳にしてため息をついた。

「サワちゃん、冷凍庫《れいとうこ》にご飯あるからあっためて適当《てきとう》に食べてくれる？」

「えー、めんどくさいなぁ。」

サワはブツブツ文句《もんく》を言ったが、お母さんは手が空きそうにない。

（あ、トーストにしよ。）

サワは、台所の棚《たな》から食パンの袋《ふくろ》を見つけると1枚《まい》取ってオーブントースターにつっこみ、スマートフォンをチェックし始めた。

「お母さん、ゼッケンできた？」

ランドセルを背負《せお》ったアツシに、お母さんは体操着《たいそうぎ》を差し出した。

「はい、できたよ。でも、こういうことはもっと早く言ってよ！」

「ごめんなさ〜い。」

アツシはペロッと舌《した》を出すと、いたずらっぽくささやいた。

「ねぇ、お姉ちゃんってさぁ、料理ヘタクソすぎるよね。裏《うら》まで真っ黒こげのトースト食べてたよ。」

お母さんは苦笑したが、すぐに眉《まゆ》をひそめて立ち上がった。

「サワちゃん、それ食べるのやめなさい！」


お母さんは、なぜサワにトーストを食べないように呼《よ》びかけたのか。その理由はなんだろうか。

解説《かいせつ》

裏《うら》まで真っ黒になるほどこがしたのなら、表はどれほど真っ黒なのか。そこまで真っ黒なパンは苦くて食べられたものではないだろう。だとすると、表は真っ黒ではないのかも……？

「ご飯を食べるように」と指示《しじ》したお母さんは、台所にパンがあることを忘《わす》れていた。季節は梅雨《つゆ》。「存在《そんざい》を忘《わす》れていたパン」と「裏《うら》が真っ黒」という条件《じょうけん》を結びつけ、お母さんは「パンに黒カビが生えているのでは」と推測《すいそく》したのだ。

お母さんがすぐに声をかけたおかげで、サワは裏面《うらめん》に黒カビが生えたパンを少々《しょうしょう》食べただけですんだ。

湿気《しっけ》の多い時期は特に、食べ物はすみずみまでちゃんと見て確認《かくにん》することが大切。「気がつかないわけがない」と思っただろうか？　いや、わたしたちはふだん、意外とパンの裏《うら》など見ないで口に運んでいるものである。

41

整理整とん

失敗↓なぜ？

「明日の朝には引越《ひっこ》し屋《や》さんが来るのに、部屋が全然片《かた》づいてないんだ。ユウマ、手伝いに来てくれ！」

トシキにこんなふうに泣きつかれたら、断《ことわ》るわけにいかないけど。

部屋に入った瞬間《しゅんかん》、オレは後悔《こうかい》したね。トシキは大学に入ってからの一番の親友だが、今まで部屋に招《まね》かれなかったのも納得《なっとく》だ。足の踏《ふ》み場《ば》がないなんてもんじゃない。大量の服や本やマンガの山。ペットボトルや空きカンなんかが散乱《さんらん》してる。

これは徹夜《てつや》になりそうだ。

「まず、捨《す》てられるものはどんどん捨《す》てるぞ。」

「ゴミ」と判定《はんてい》したモノを手早くでかいゴミ袋《ぶくろ》に放りこんでいく。賞味期限《しょうみきげん》が切れたポテトチップス、中身が半分残ってるチョコレートなんかは問答無用で捨《す》てる。

「このノートいるの？　水にぬれたみたいでシワシワだけど。」

「このT《ティー》シャツ、カビが生えてるぜ？」

一応《いちおう》、トシキに見せると、返事は「まだ使えるから捨《す》てないで」だ。

服をダンボールに詰《つ》めこみ、本をビニールひもでしばるとようやく床《ゆか》が見えてきたが……床《ゆか》にはこまごましたものがたくさん散らばっている。

シャープペンやボールペンを集めてみると50本くらいある。使《つか》い捨《す》てライターも30個《こ》はある。どれも、まだ使えるから始末が悪い。

「なんでこんなにあるんだよ!?」

「いやぁ、持っていくのを忘《わす》れて、そのたびにコンビニで買ってるうちに増《ふ》えちゃって。で、また部屋の中で使おうとすると見つからなかったりして。」

トシキは照れくさそうに言った。

「いいか？　整理整とんの基本《きほん》は同じモノを一か所にまとめることだ。」

オレは適当《てきとう》な箱を見つけ、ライターやペン類をしまうように指示《しじ》した。

トシキはゲームやカメラ、自分で曲を作るのも好きで、よくわからない音楽用の機材がいっぱいある。データを記録するメモリーカードに電池、接続《せつぞく》コードなんかも大量に出てきた。電池だけでも単3乾電池《かんでんち》のほかに四角い電池や、ボタン電池などいろいろだし……使用ずみなのか未使用なのかわからないのがいっぱいだ。

オレがコンビニ袋《ぶくろ》にメモリーカードや電池を入れ始めると、トシキはあわてて言った。

「メモリーカードは捨《す》てないでくれよ。大事なデータが入ってるんだ。電池もたぶん、ほとんど使ってないやつのはず……。高いんだよ、けっこう。」

「箱がないから袋《ふくろ》に入れるだけだよ、とりあえず。」

「そうか。確《たし》かに、袋《ふくろ》に分けるだけでも片《かた》づくもんだね。」

トシキはオレのきげんをとるように言って、自分もそこらに落ちてるヨウジや輪ゴムを袋《ふくろ》に入れ始めた。

「あのなぁ、ヨウジや輪ゴムなんかは捨《す》てろよ。モノを大切にするのはいいけど、どうでもいいものは捨《す》てないと朝までに終わらないぞ！」

「わかった、わかりました！」

こうして朝までに、なんとかトシキのすべての所持品が引越《ひっこ》し用のダンボールにおさまった。

「ホントにありがとう！　ちゃんとお礼はするから。焼肉食べ放題をおごるよ。」

トシキは晴れ晴れとした顔で言った。めでたしめでたしだ。

「デザートセットもつけてくれよ？　あと、せっかく整とんのコツを教えたんだから、引越《ひっこ》し先の部屋は散らかさないようにしろよ。」

「うん、心を入れ替《か》えるよ。」

オレは何度かトシキの新しい部屋に遊びに行った。すごく片《かた》づいてるとは言えないものの、前の部屋にくらべたら上出来だ。

トシキは、オレが教えた「同じ種類のモノは一か所に集める」を実践《じっせん》するようになってから、モノを見つけやすくなったと言って喜《よろこ》んでいる。

ところが、そんなある日。トシキはうちにやってきて言ったんだ。

「しばらく泊《と》めてくれ。大変なことになったよ。オレの部屋から発火して火事になってさ。全焼はしなかったけど、水びたしでめちゃくちゃなんだ。」

「火事だって⁉　タバコの火の不始末か？」

「ちがうよ。それが想像《そうぞう》もしなかった理由でさ。うん、もちろん知らなかったんだろうけど、おまえにもちょっとは責任《せきにん》があるかな……。」


火事が起きたのは「おまえにもちょっとは責任《せきにん》がある」というトシキの言葉は何を意味しているのだろう。火事の原因《げんいん》は何だったのだろうか。

解説《かいせつ》

これは実話をもとにした話。出火の原因《げんいん》は、乾電池《かんでんち》どうしが接触《せっしょく》したことである。包装《ほうそう》がはがされ、むき出しになった状態《じょうたい》の乾電池《かんでんち》が接触《せっしょく》すると、電流が流れることがあり、電池の種類などによっては発火することがあるのだ。特にちがう種類の電池が接触《せっしょく》すると危険《きけん》だという。

これが原因《げんいん》で家が全焼するなどのケースも報告《ほうこく》されている。トシキはユウマの指《し》導《どう》によって、いろいろな種類の乾電池《かんでんち》をコンビニ袋《ぶくろ》に入れたまま保管《ほかん》していた。早く火を消し止めることができたが、部屋は消火のために水びたしで大きな被害《ひがい》を負ってしまったわけだ。

乾電池《かんでんち》は包装《ほうそう》をはがさずに保管《ほかん》すること。あるいは、プラス端子《たんし》とマイナス端子《たんし》にテープをはるなどして電流が流れるのを防《ふせ》ぐこと。使用ずみの電池でも発火することがあるそうなので、ゴミに出すときも注意が必要だ。

42

停《てい》電《でん》

失敗↓なぜ？

雨が地面をたたく音が、急に激《はげ》しくなった。

ぼくはＤＶＤ《ディーブイディー》プレーヤーのリモコンの一時停止《ていし》ボタンを押《お》して立ち上がり、窓《まど》に近寄《ちかよ》ってみる。

まさにバケツをひっくり返したような雨だ。最近は、こういうゲリラ豪雨《ごうう》が珍《めずら》しくないんだよなぁ。

父さんと母さん、かさ持って出かけたかな……？

カーテンを閉《し》めようとすると、暗い夜空がピカッと光った。

ドドーン！

だいぶハデな音だったから、これは近くに落ちたかも思ったとき。

部屋の中が真っ暗になった。停電《ていでん》だ！

懐中電灯《かいちゅうでんとう》を見つけて、ブレーカーをオフにする。数分たって、オンにしてみたけど電気はつかない。窓《まど》の外を見たけど、近所の家も真っ暗だ。


バリバリバリッ……ド――――ン！

雷《かみなり》は、立て続けに何発も落ちている。

小さいころは雷《かみなり》が苦手で、大泣きしてたこともあったらしいけど。

さすがに中学生ともなると……家の中にいる分にはそれほどこわくない。

ただ、早く復旧《ふっきゅう》してくれないと困《こま》るなぁ。

ぼくは懐中電灯《かいちゅうでんとう》を床《ゆか》に置き、何も写っていないテレビの前に座《すわ》った。


まもなく父さんと母さんが帰ってきたが、停電《ていでん》はまだ復旧《ふっきゅう》していなかった。

母さんは、ランタン型《がた》の大きい非常灯《ひじょうとう》を食堂《しょくどう》のテーブルに置いて言った。

「お寿司《すし》買ってきたから食べようよ。そんなとこに座《すわ》ってないで。」

「うん。外を見てるんだよ。また雷《かみなり》が落ちるかもしれないし。」

「変な子ね。いつからそんなに雷《かみなり》が好きになったの？」

腹《はら》はへってるけど……。ぼくは食堂《しょくどう》からの光に背《せ》を向け、リモコンをにぎりしめる。雨は小やみになってきていた。


主人公はおみやげの寿司《すし》に目もくれず、電源《でんげん》が落ちたままのテレビ、ＤＶＤ《ディーブイディー》プレーヤーの前からはなれない。これには、どんな理由があるのだろうか。

解《かい》説《せつ》

主人公はＤＶＤ《ディーブイディー》を見ていたが、停電《ていでん》によってＤＶＤ《ディーブイディー》プレーヤーとテレビ（モニター）の電源《でんげん》も落ちてしまった。停電《ていでん》が復旧《ふっきゅう》すると、たいていの場合は自動的にどちらも動き出す。もしそうなった場合、主人公はすばやく停止《ていし》スイッチを押《お》し、ＤＶＤ《ディーブイディー》を取り出す必要があった。彼《かれ》が見ていたのは両親には見られたくない……グラビアアイドルのちょっとセクシーなＤＶＤ《ディーブイディー》だったのである。

コンセントからプラグをぬけば自動的に再生《さいせい》が始まるのは防《ふせ》げるが、いつ両親がテレビをつけようとするかもわからないから、そばをはなれるわけにはいかない。食堂《しょくどう》に背《せ》を向けているのは、食堂《しょくどう》からの灯りをさえぎるのと、テレビ画面をかくす意図がある。

幸い、数分で停電《ていでん》は復旧《ふっきゅう》。主人公は、両親に気づかれずにＤＶＤ《ディーブイディー》を回収《かいしゅう》することができたのだ。

43

中華料理屋事件《ちゅうかりょうりやじけん》

危機《きき》↓逆転《ぎゃくてん》？

ピーポーピーポー　ピーポーピーポー
アユミはテーブルをふいていた手を止めて、キッチンの中の店主に話しかけた。

「ねえ、ずいぶんパトカーのサイレンがうるさいけど、近くでなんかあったのかな？」

「うーん、なんだろうな？」

アユミのおじである店主はキッチンから出てくると、2人分のご飯と餃子《ぎょうざ》、スープが乗ったお盆《ぼん》をテーブルに置いた。

「アユミちゃん、お疲《つか》れさま。さあ、いっしょに食べよう。もう閉店《へいてん》時間だ。」

「はーい。」

店主は戸を開けて「中華《ちゅうか》　えがわ」と書かれたのれんを下ろすと、店の中にしまった。そして、2人でイスに腰《こし》かけたときだった……黒ずくめの男がガラッと戸を開けて入ってきたのは。

「お客さん、すいません。今日はもうおしまいで……。」

立ち上がってこう言いかけた店主に、男はいきなり飛びかかり、馬乗りになる。

「静かにしろ。おかしなまねをしたら命はないぞ。そっちのお嬢《じょう》さんもな。」

男は上着の内ポケットから出刃包丁《でばぼうちょう》を取り出して、店主の目の前でちらつかせた。


男はこの近所で強盗事件《ごうとうじけん》を起こし、警察《けいさつ》に追われているところだという。

「悪いが、まわりが静かになるまでしばらくここにいさせてもらうぜ。」

アユミはイスに座《すわ》ったまま、男が店主の両手をしばるのをおびえながら見ていた。

(おとなしくしてたら何もしないで出ていってくれるのかな。でも、あたしたちはこの男の顔を見ちゃってるじゃない？　もしかしたら、殺《ころ》されるかも……。)

男は店主を床《ゆか》に横たわらせると、自分はアユミの向かいの席に座《すわ》り、両足で店主の体をふみつけるようにして押《お》さえた。

「そこでじっとしてろ。夜は長いし、腹《はら》ごしらえさせてもらうよ。」

男は、左手に包丁を持ち、右手で箸《はし》を取ると餃子《ぎょうざ》定食を食べ始めた。しかし、さすがに食べにくいようで、包丁をテーブルに置いた。それから、威《い》かくするようにアユミをにらみつける。

(あたしは何もできないと思ってナメてるんだ。これでも柔道《じゅうどう》の大会で優勝《ゆうしょう》したことあるんだからね！)

アユミは内心、この男がスキを見せたら取《と》り押《お》さえることができる自信があった。あの包丁さえなければ——。

(手をサッとのばして包丁を遠くにはじき落として、飛びかかれば組みふせられるんじゃない？　こいつ、小柄《こがら》だし。おじさんにまたがってもらって、その間にしばられてるおじさんのなわをといて……。)

アユミは頭の中で手順を想像《そうぞう》した。

だが、問題はやはり包丁だ。包丁をはじき飛ばすのが一番の難関《なんかん》で、これを失敗したらあとは最悪の展開《てんかい》になるに決まっている。

（でも、こいつが食事をしてる今が最大のチャンスのはず。）

そんなことを考えていたアユミは、強力な視線《しせん》を感じた。床《ゆか》に横たわった店主が顔を横にして、何かを訴《うった》えるようにアユミの方を見上げている。

（おじさん……あたしに何か伝えようとしてるの？）

アユミは、男に気づかれないように横目で店主を見下ろした。

よく見ると、店主は目線を動かしている。

（視線《しせん》の位置で何かを示《しめ》しているの？　テーブルの上にある何かを……？）

テーブルの上を見わたしたアユミの目が、ある一点で止まった。

（もしかしたら……。うん、やるしかない！）

「なるほど。すばらしい機転でしたね。」

通報《つうほう》によってパトカーがかけつけ、あわただしく男を連行していったあと、アユミと店主は警察官《けいさつかん》にくわしい状況《じょうきょう》の説明をしていた。
「おじさんの合図がなかったら、わたしもあんなものを使って攻撃《こうげき》できるとは思いつかなかったです。」

アユミはテーブルの上にあるものを使って男に攻撃《こうげき》をしかけ、みごとに男を組みふせることに成功した。それはいったい何だろうか。

解説《かいせつ》

アユミはコショウの容器《ようき》のフタを取ると、男の目に大量にふりかけたのだ。激《はげ》しい目の痛《いた》みとクシャミで男がひるんだスキに、テーブルの上の包丁をうばうことに成功。そして、得意《とくい》の柔道技《じゅうどうわざ》で男を投げ飛ばし、想定していた計画通りに運ぶことができたのだ。

中華《ちゅうか》料理店、それも餃子《ぎょうざ》を出す店なら各テーブルに餃子《ぎょうざ》のタレ、しょうゆ、酢《す》などといっしょにコショウも置いてある。ラッキーだったのは、この男は餃子《ぎょうざ》を食べるときにコショウを使わなかったため、コショウの入れ物がアユミに近い方にあったことだ。

コショウやトウガラシなどの香辛料《こうしんりょう》は刺激《しげき》が強く、目に入ると猛烈《もうれつ》に痛《いた》い。目に入ったときは、すぐに水でよくすすぐこと。絶対《ぜったい》にふざけて人にかけたりしてはいけない。

44

少年探偵《たんてい》ポロロと放火魔《ほうかま》

危機《きき》→逆転《ぎゃくてん》？

「ふふふ。オレを犯人《はんにん》とつきとめたのは、さすがは天才少年探偵《たんてい》とほめてやろう。しかし……ポロロ、おまえはオレをつかまえることはできないぜ。」

ヤツは勝ちほこったように笑った。

右手にぶらさげたバケツに入っているのは、たいまつだ。

この数週間、街をさわがせていた放火魔《ほうかま》を見つけ出し、追いつめたまではよかったが……。

「や、やめてくれ！」

助手のアーサーがこらえきれずにさけんだとき。

放火魔《ほうかま》は、たいまつに次々《つぎつぎ》に火をつけると、あちこちにばらまいた。

そして、「丸焼きになっちまえ！」とどなると、自分は外に飛び出したのである。

ぼくは、ドアに向かおうとするアーサーの腕《うで》を引っぱってとめる。

「外からドアが開かないように細工をするのが、ヤツのいつものやり方だ。そっちに行ったら煙《けむり》に巻《ま》かれてしまうぞ！」

この給食施設《きゅうしょくしせつ》に、ぼくら以外の人がいないのは、不幸中の幸いだ。

だけど、こんなところで死んでたまるものか！

「アーサー、地下に行くんだ！」

ぼくらは口をハンカチでおおい、地下1階へ下りる階段《かいだん》をかけおりた。

火災《かさい》の場合、火にまかれるのもおそろしいが……その前に煙《けむり》を吸《す》って一酸化炭素《いっさんかたんそ》中毒《ちゅうどく》で倒《たお》れる人が多い。煙《けむり》は上に向かうから、姿勢《しせい》を低くして下に向かうのがいい。

しかし……放火魔《ほうかま》がばらまいたたいまつは階段《かいだん》の下にも転がり落ちていた。

ここが火に巻《ま》かれるのも時間の問題だ。

ぼくは、急いで消防署《しょうぼうしょ》に電話をした。

もう、窓《まど》のある上の階にも行けない。一刻《いっこく》も早く消防隊《しょうぼうたい》が来てくれますように。

それまで、なんとか身を守らなくちゃ！

「ポロロくん。ここ、カギが開いてるよ！」

アーサーが、ドアの前でさけんでいる。

アーサーもたまには役に立つことがあるなと思ったんだが、ぼくはドアの前の札を見てうめいた。よりにもよって……。

「アーサー、ここはボイラー室だぞ！」

ボイラーとは、蒸気《じょうき》や温水の力で機械を動かす装置《そうち》のこと。液体《えきたい》や固形の燃料《ねんりょう》で動いているはずだ。

「ここに火が回ったら最悪じゃないか！」

「でも、ほかの部屋はカギがかかってて入れないんだよ！　防火扉《ぼうかとびら》もないし！」

2人でろうかをかけ回って消火器を探《さが》したが、ひとつもない。

あらかじめ、あの放火魔《ほうかま》が撤去《てっきょ》しておいたのか……。

やばい……この地下1階にも火が回ってきた！

どうしようもないので、ぼくたちはいったんボイラー室に入ることにした。ドアは鉄でできているし……消防隊《しょうぼうたい》が来るまではもつはずだ。

居場所《いばしょ》を伝えるためにもう一度、消防署《しょうぼうしょ》に電話をすると。

広いボイラー室のあちこちを見て回っていたアーサーが言ったんだ。

「ポロロくん、やったよ！　消火設備《しょうかせつび》を見つけた！」

あ、そうか。ボイラー室には、消火設備《しょうかせつび》があるに決まってるか！

「スイッチ、オン！」

アーサーが元気よく言って、消火設備《しょうかせつび》のボタンを押《お》すと、自動音声が流れた。

「火事です。消火剤《しょうかざい》の放出を始めます。危険《きけん》ですから、ただちに避難《ひなん》してください。」

ん？　「避難《ひなん》しろ」って……どういうことだろう？

ぼくは室内を見回した。

「消火剤《しょうかざい》を放出する」というからには天井にスプリンクラーみたいなものがあって、そこから消火器の中身がまき散らされるのかと思ったが……何も見当たらない。

もしかして!?

ぼくはアーサーをつきとばして、消火設備《しょうかせつび》の緊急停止《きんきゅうていし》ボタンを押《お》した。

「ポロロくん、何をするんだ。せっかく……！」

ぼくは、フーッと大きく息をはいた。

「危《あぶ》なかった。あの放火魔《ほうかま》、ここまで計算してボイラー室のカギだけ開けておいたのかもしれないな。」

そして……ちょうど消防車《しょうぼうしゃ》のサイレンの音が近づいてきて、ぼくは胸《むね》をなでおろしたのだ。

消防隊《しょうぼうたい》が火を消し止め、2人は無事に救出《きゅうしゅつ》された。しかし、ポロロはなぜアーサーが作動ボタンを押した消火装置《しょうかそうち》を緊急停《きんきゅうてい》止《し》させたのだろうか。

解説《かいせつ》

ポロロは、「危険《きけん》ですから、避難《ひなん》してください」というアナウンスから、「消火《しょうか》剤《ざい》」の中身が人体に危険《きけん》なものではないかと推理《すいり》し、あるものに思い至《いた》ったのだ。

ポロロの推測《すいそく》通り、この消火《しょうか》設備《せつび》は二酸化炭素《にさんかたんそ》を放出するタイプだった。高濃度《こうのうど》の二酸化炭素《にさんかたんそ》を人が吸《す》うと短時間で意識《いしき》を失い、酸素欠乏症《さんそけつぼうしょう》で死亡《しぼう》する危険《きけん》がある。

この二酸化炭素《にさんかたんそ》消火設備《せつび》は、ボイラー室や機械式の地下駐車場《ちゅうしゃじょう》、機械室など、日ごろ人が立ち入らない場所に設置《せっち》されている。水を使う消火にくらべ、設備《せつび》などへの影響《えいきょう》が少ないために、機械の多い場所で採用《さいよう》されやすい。しかし、この二酸化炭《にさんかたん》素消火設備《そしょうかせつび》の誤作動《ごさどう》・誤操作《ごそうさ》による死亡事故《しぼうじこ》がときどき起こっているので、近年は二酸化炭素《にさんかたんそ》式より安全性《あんぜんせい》の高い「窒素《ちっそ》」を放出する設備《せつび》の設置《せっち》も増《ふ》えている。ちなみに、わたしたちが目にする機会の多い住宅用《じゅうたくよう》の消火器の中身は、主に粉末《ふんまつ》タイプと液体《えきたい》タイプの2種類。どちらも危険《きけん》ではないが、使用するときは目に入ったりしないように注意が必要だ。

45

オレたち不思議研究会

危機《きき》↓なぜ？


海の向こうが赤い夕焼けに染《そ》まる。

だんだん人が減《へ》っていく夕暮《ゆうぐ》れの浜辺《はまべ》で、オレたちは空を見つめていた。

「見られるといいなぁ。」

ヨウスケがつぶやくと、ケンゴはカメラを空に向けてファインダーをのぞく。

「ただ待ってるだけじゃなくて、強く念じるんだよ。オレたち3人で！」

オレとヨウスケ、ケンゴは中学のクラスメート。たまたま席が近くなってしゃべってたら、3人に共通する趣味《しゅみ》があるとわかったんだ。宇宙人《うちゅうじん》、UFO《ユーエフオー》、幽霊《ゆうれい》、超能力《ちょうのうりょく》、予言……ひとことでいうと「オカルト」っていうジャンルだな。

こいつらは、オレと同じく本気でＵＦＯ《ユーエフオー》や幽霊《ゆうれい》を見てみたいと思ってる。そんな同志《どうし》に初めて出会えて感激《かんげき》したよね。

そして、オレたちは夏休み前に「不思議研究会」を結成したわけだ。

夏休みに入って……今日は不思議研究会、初の課外活動の１日目。

オレたちは何度かＵＦＯ《ユーエフオー》が目撃《もくげき》されているというＮ《エヌ》海岸に、片道《かたみち》２時間かけてやって来た。日程《にってい》は２泊《はく》３日《か》。この近くに住んでるヨウスケの親せきの家に泊《と》めてもらうんだ！


そりゃ、そうかんたんにＵＦＯ《ユーエフオー》が現《あらわ》れるとは思ってなかったけど。明るいうちから「ＵＦＯ《ユーエフオー》来い、ＵＦＯ《ユーエフオー》来い」とひたすら念じ続けてるんで、さすがに疲《つか》れてきた。

「でもさ、もしホントにＵＦＯ《ユーエフオー》の写真が撮《と》れたら、オレたち有名人になっちゃうんじゃね？」

「テレビ局とか出版社《しゅっぱんしゃ》から取材が殺到《さっとう》したりしてな。サインの練習もしとくか！」

ヨウスケとケンゴが冗談《じょうだん》を言い始めたとき。

「あれ⁉」

オレは、目をパチパチした。

「どうした？　UFO《ユーエフオー》か⁉」

2人が真剣《しんけん》な顔になって空を見上げる。

「いや。ちがうんだ。」

オレは、50メートルくらい先の、消波《しょうは》ブロック（テトラポッド）が積み上がっているところを指さした。

「さっきまであの消波《しょうは》ブロックの上に女の人が立ってたの、見ただろ？　その人がたった今、スッと消えたんだよ。」

「それって……海に飛びこんだってこと？」

「いや。あの位置から飛びこむなら、何歩か歩かないと無理だし。そういうんじゃなくてさ。ハッキリ見たんだよ。幽霊《ゆうれい》みたいに一瞬《いっしゅん》でスッて消えたんだ。」

「マジで⁉　不思議研究会としては、幽霊《ゆうれい》を目撃《もくげき》したのでも大収穫《だいしゅうかく》だよな。写真撮《と》っておけばよかったな。」

ケンゴはくやしそうな顔をした。すると、ヨウスケがすかさず割《わ》って入る。

「はいはい！　まだ幽霊《ゆうれい》って決めつけるのは早いんじゃない？　ここは幽霊《ゆうれい》じゃなくてUFO《ユーエフオー》の名所だよ。その人、UFO《ユーエフオー》にさらわれた可能性《かのうせい》もあるんじゃない？」

オレはUFO《ユーエフオー》からオレンジ色の光が出て、人間が吸《す》いこまれていく情景《じょうけい》を想像《そうぞう》してワクワクした。だけど……ちょっと無理があるな。

「でも、オレ、肝心《かんじん》のUFO《ユーエフオー》は見てないんだけど？」

「あ、そうか。じゃあ、その人がタイムスリップしたっていう可能性《かのうせい》はどう？」

「それは、なくはないな……。」

オレたちは、それぞれの知識《ちしき》を総動員《そうどういん》していろんな説を語り合った。ともかく女の人が消えたのは事実なわけで……仮説《かせつ》を考えて議論《ぎろん》するのはめちゃくちゃ楽しい。

タイムスリップ説も悪くはないが、あの女の人は白っぽい服を着てたし、最終的にオレたちは「幽霊《ゆうれい》」説を採用《さいよう》することにした。あの人には足があるように見えたけど……ケンゴが「『幽霊《ゆうれい》には足がない』という説は昔のものだ」と熱弁《ねっべん》したしね。

30分ほどたって。車で迎《むか》えに来たヨウスケのおじさんに幽霊《ゆうれい》のことをくわしく話すと、おじさんは真っ青になって「あの消波《しょうは》ブロックには近寄《ちかよ》っちゃダメなんだ」とつぶやいた。

「え？　ここって幽霊《ゆうれい》の名所でもあったの？」

ヨウスケが言うと、おじさんはすごいけんまくでどなったんだ。

「おまえたち、もうちょっと現実的《げんじってき》にならないといかんぞ！」

消波《しょうは》ブロックの上から一瞬《いっしゅん》にして消えた女の人は幽霊《ゆうれい》ではないらしい。いったい何が起こったのだろうか。

解説《かいせつ》

海辺に積み上げられている消波《しょうは》ブロック（テトラポッド）の多くは、4本足の大きなコンクリートのかたまりだ。打ち寄《よ》せる波のエネルギーを受け止め、弱くするために設置《せっち》されている。この上を歩くのはとても危険《きけん》。積まれた消波《しょうは》ブロックのすき間は意外に広く、人間が入ってしまうくらい……そう、主人公は女の人がすき間にストンと落ちる瞬間《しゅんかん》を見て「消えた」と思ったのである。

ブロックの間に落下して、命を落とす人は多い。落ちる途中《とちゅう》で頭を打つなど、大ケガをする。途中《とちゅう》で引っかかってもつかむところがなく、はい上がれない。一番下まですべり落ちるとそこは「水中」かもしれない。ブロックが重なってできる形は複雑《ふくざつ》な渦《うず》をつくり、人を水中に引きこむ場合がある。助けを呼《よ》ぶ声は波とブロックに阻《はば》まれ、やがて潮《しお》が満ちてくれば、おぼれる危険《きけん》はさらに高まって……。

おじさんが急いで警察《けいさつ》に連絡《れんらく》したおかげで女性《じょせい》は無事に救出《きゅうしゅつ》された。3人はオカルトに夢中《むちゅう》になりすぎて、現実《げんじつ》を見る目がおろそかになったのを反省したという。

46

ギリギリの女の子

失敗→なぜ？

あ～、もっと早く始めればよかった。あたしって、なんでこうギリギリになっちゃうんだろう。でも、なにがなんでも放課後までに編《あ》み終わらなきゃ。

今日は、初めてできた彼氏《かれし》の誕生日《たんじょうび》。

あたしがマツイくんにひと目ぼれをしたのは、高校の入学式のとき。

彼《かれ》はとなりのクラスだったんだけど、ぐうぜん同じ放送委員会になったのには運命を感じちゃったよね！

積極的にいっぱい話しかけて仲よくなれて……夏休み明けに告白《こくはく》されたんだ。

マツイくんが、わざわざ誕生日《たんじょうび》プレゼントに手編《てあ》みのニットキャップをリクエストしてきたのは、あたしが編《あ》み物が得意《とくい》だって知ってたからで。

ここは、期待にこたえてめちゃくちゃセンスいいのを作らなくちゃって、はりきったんだ。

それでどんなデザインにしようかとか、毛糸選びとかこだわりすぎて、編《あ》み始めるのが遅《おそ》くなっちゃった。しかも、複雑《ふくざつ》なもようにしすぎたのがまずかったよね。

昨日の夜、ほぼ完成したと思ったのに途中《とちゅう》でまちがえたのに気づいてさ。

半分以上ほどいて、必死に編《あ》み直してるんだけど……。

通学電車の中で編《あ》めるかと思ったけど、座《すわ》れなくて無理だったんだよねぇ。

朝のホームルームの時間も机《つくえ》の下でスカートの上に毛糸を置いて、2本の編《あ》み棒《ぼう》をせっせと動かす。一番後ろの席でよかった！

1時間目の英語の授業《じゅぎょう》が始まったけど、キリのいいところまで編《あ》んじゃいたくて続けてたら。

「ハヤカワさん、聞いてる？」

やばい。先生ににらまれちゃった！

あわてて机《つくえ》の中にかくそうとしたけど……教科書とかいろんなものをゴチャゴチャに詰《つ》めこんでいたから入らない！　先生がこっちに歩いてきたから、体勢《たいせい》を直すふりをして、机《つくえ》を自分のほうにぐいっと引き寄《よ》せた。

「ハヤカワさん、具合悪いの？」

「え！　は、はい……。」

もう、ごまかす方法はない。

これで放課後デートもぶちこわしになっちゃったなぁ……。


主人公は、放課後までにニットキャップを完成させることができなかった。主人公の身に何が起こったのだろうか。

解説《かいせつ》

主人公は、編《あ》みかけのニットキャップ、編《あ》み棒《ぼう》、毛糸を机《つくえ》の中に押《お》しこもうとしたが、机《つくえ》がいっぱいで入らなかった。無理やりにつっこんで、机《つくえ》を自分の体に勢《いきお》いよく引きつけたとき、編《あ》み針《ばり》がおなかに刺《さ》さってしまったのだ。

編《あ》み物用の棒針《ぼうばり》は、竹やプラスチックなどでできており、先がとがっている。かなりじょうぶなので、大きな力がかかった場合には折れずに体に刺《さ》さってしまうことがある。たとえば、国内の空港では機内の持ちこみが基本的《きほんてき》には許可《きょか》されているものの、物によって「武器《ぶき》にもなり得《う》る」とみなされた場合には没収《ぼっしゅう》されることがあるようだ。

主人公はすぐに病院に行くことに。幸《さいわ》い軽い傷《きず》ですんだものの、先生、家族、彼《かれ》氏《し》のマツイくんにも怒《おこ》られて大反省した。

47 アメリカの夏休み

失敗→なぜ？

強力粉《きょうりきこ》を250グラム、ドライイースト5グラム、砂糖《さとう》を大さじ2、塩は小さじ1、バター20グラム。あたしは、いとこのリオが家庭科の先生からもらったというレシピを読み上げる通りに材料を計った。

うちではほとんどお料理したことないのに、すっごくやる気が出ちゃってるのは「今アメリカにいる！」っていう興奮《こうふん》のせいなのかな？

あたしがアメリカに到着《とうちゃく》したのは3日前。この夏休みは、いとこの家で1か月間過《す》ごすことになってるんだ。目標は英会話ができるようになること。

リオは生まれたときからアメリカで暮らしてる。家族の間では日本語で話してるけど、英語もペラペラでうらやましい。この夏はリオが通ってるハイスクールの友だちといっぱい遊ぶことになってるから、自分から積極的に話しかけるようにするんだ！

来週はさっそく、持《も》ち寄《よ》りパーティーの予定が入ってる。手作りパンのサンドイッチを持っていくために、リオといっしょに初めてのパン作りに挑戦中《ちょうせんちゅう》なの。

ボウルに強力粉《きょうりきこ》と、ドライイーストと砂糖《さとう》と塩を入れて、よく混《ま》ぜて。

「次はね、そこに100度のお湯を170ミリリットル入れて、ヘラでさっと混《ま》ぜて。」

と、リオが温度計をわたしながら言ったところで、インターホンの音がする。

「あ、ルークが来たみたい！　そしたら、手で生地《きじ》をまとめてね。」

リオは顔を輝《かがや》かせて、玄関《げんかん》に走った。

あ、お湯がわいた！　やかんからお湯を計量カップに注ぐと、きっちり計ってボウルに入れる。お料理は、とにかく分量さえしっかり計ればまちがいない。

もどってきたリオは、2人の男の子を連れていた。ルークと、親友のウォルシュ。

もしかして2対2になるように、気をつかってくれたのかな？　あたしが用意してた英語の自己紹介《じこしょうかい》をしてから、パン作りを再開《さいかい》した。

バターを混《ま》ぜてよくこねて……丸く形作ったパンだねを、リオがオーブンに入れて20分。

ショックなことに焼き上がったパンは、全然ふくらまなくてペッチャンコだったんだ。初対面のルークとウォルシュの前で、いいところを見せたかったのに。2人は「でも、おいしいよ！」って食べてくれたけど。

2人が帰ってから、リオと反省会をして……あたしは重大な失敗をしてたことがわかった。「気づかなくってごめん！」ってリオはあやまってくれたけど……リオはアメリカ育ちなんだもん、しかたないよね。


パンがふくらまなかった理由は、リオがそばにいなかった間の作業にあった。その原因《げんいん》とはなんだろうか。

解《かい》説《せつ》

英語のレシピを読み上げてくれたリオは「100度のお湯」を用意するように言った。しかし、これはアメリカで使われている温度の単位「華氏《かし》」の100度（100°F）で、日本で使われている摂氏《せっし》でいうと37・8度（37・8℃）に当たる。60℃以上のお湯では、イースト菌《きん》は死んでしまう。そのせいで、パンはふくらまなかったのだ。リオはお料理に使う温度計をわたしてくれたが、主人公は「100度＝沸騰《ふっとう》させたお湯」だから、温度計を使うまでもないと思ったのだ。

アメリカ製《せい》のオーブンも「華氏《かし》」の表記だが、オーブンはリオがセットしたため、この時点でも2人は行きちがいに気づかなかった。

アメリカでは体温計も「華氏《かし》」。アメリカに行く前には、自分の平熱は華氏《かし》でいうと何度か知っておくといい。36度は、アメリカでは96・8度となる。

48

お金を増《ふ》やす方法

失敗→なぜ？

中学に入ってから、友だちと出かけたり、部活や塾《じゅく》のあとに買い食いしたりすることが多くなって、今月もおこづかいがピンチだなぁ。

と、思いながらバスにゆられていたら、前の席に座《すわ》ってるお姉さんたちの会話が、ふと耳に飛びこんできたんだ。

「うわ、これ、どうしたの？」

「キッチンにお金を出しっぱなしにしてて。コンロの火が燃《も》えうつっちゃったの。危《あぶ》なく火事になるとこだったよ。」

お姉さんは、焼《や》けこげて半分ほどになった1万円札をヒラヒラさせている。

「これから銀行に行って、交換《こうかん》してもらうんだ。」

そう言いながら、2人は駅前のバス停《てい》で降《お》りていった。

なるほど……そんなウラ技《わざ》があったんだ！


オレは、近所に住んでる親友のセイトを呼《よ》び出した。

「なあ、金を貸《か》してくれないか？　いい方法があるんだ。倍にして返すからさ……。」

セイトはけげんな顔をしていたが、オレの作戦を聞くと、お年玉の1万円を持ち出してきた。やった！　オレの全財産《ぜんざいさん》、千円札じゃ話にならないからな。

オレは、借りた1万円札を丸めてクシャクシャにすると、飼《か》い犬のパルにかませた。さあ、これでいい感じにボロくなった。それから、札をほぼ半分くらいに破《やぶ》ると、セイトに言ったんだ。

「これを銀行に持っていって、新しい札に交換《こうかん》してもらうんだ。目をはなしたスキに犬がいたずらしちゃったんですって言ってな。」

「そっか。そうすれば倍になるってこと!?」

オレは親指を立ててみせ、それから別々《べつべつ》の銀行に向かったんだ。

ところが、作戦は思ったようにはいかなかった。

それどころか、よけいなことをしたせいで、赤字になる始末。

要はオレがあまかったんだけど、いやんなっちゃうな……。


主人公が小耳にはさんだように、破損《はそん》したお金は銀行で交換《こうかん》してもらえる。どんな計算ちがいから赤字になってしまったのだろうか。

解説《かいせつ》

破損《はそん》したお札を銀行に持っていけば交換《こうかん》してもらえるのは本当だ。ただし、これには細かい条件《じょうけん》がある。たとえば洗濯機《せんたくき》にかけてしまってボロボロになってしまったり、何枚《なんまい》かにちぎれてしまっていても「面積が3分の2以上」残っていれば、同じ額《がく》のお札と交換《こうかん》してもらえる。一方、面積が「5分の2」以下の場合は、お札の価値《かち》は失効《しっこう》したとみなされ、交換《こうかん》は不可《ふか》。面積が「5分の2以上〜3分の2以下」の場合は、半額分《はんがくぶん》となる。つまり、1万円札の「半分」を持っていっても、交換《こうかん》してもらえるのは5千円。何も得《とく》にはならないのだ。

しかも、こうした交換《こうかん》にはどこの銀行でも応《おう》じてもらえるとは限《かぎ》らない。

主人公はセイトが銀行に行くために使った交通費《こうつうひ》を払《はら》ったので、赤字を作ってしまった。ちなみに、硬貨《こうか》を曲げたり穴《あな》を開けるなどして破損《はそん》するのは犯罪《はんざい》。だが、お札の場合は犯罪《はんざい》には当たらないそう。ただし、他人のお金を破損《はそん》した場合はどちらも「器物損壊罪《きぶつそんかいざい》」という罪《つみ》になる。

49

機上にて

失敗↓なぜ？

最高の天気。なんていう出発日和だろう！

大きなキャリーケースを引きずりながらも、あたしの足は今にも軽いステップで踊《おど》り出しそう。

「ユズちゃん！」

ロング丈《たけ》のワンピースをサラリと着こなしたキヨミ先生が手をふってる。

「キヨミ先生！　1週間、よろしくお願いします！」

あたしはピョコンと頭を下げた。

キヨミ先生は、あたしが高校生のときから習っているダンスの先生だ。教えるだけじゃなく、いろんな舞台《ぶたい》で活躍《かつやく》してる。そんな、あこがれの存在《そんざい》でもあるキヨミ先生が「ニューヨークに行かない？」と誘《さそ》ってくれたのは10日前のことだった。

キヨミ先生は、ニューヨークのダンススクールで開かれる特別プログラムにゲスト講師《こうし》として招《まね》かれてて。自分の生徒を1人連れていけるんだけど、予定してた子が行けなくなっちゃったんだって。今年、海外旅行に行こうと思ってたからパスポートを取っておいてホントによかった！

飛行機が空に舞《ま》い上がり……窓《まど》の外に広がる白い雲みたいに、胸《むね》の中のワクワクがふくらんでいく。飛行機に乗るの初めてだから、ちょっとドキドキ！

「ユズちゃん、急だったのによく都合ついたね。大学の授業《じゅぎょう》は休んで平気なの？」

あたしは胸《むね》をはって答えた。

「授業《じゅぎょう》は1回くらい休んだって平気ですよ。大学以外の予定は、レッスンとバイトと歯医者くらいしかなかったんで。バイトは、仲のいい子に頼《たの》みこんで代わってもらいましたし、万事問題なしです！」

すると、キヨミ先生はなぜかちょっと心配そうな顔をした。

「歯医者さんの予約、キャンセルしちゃったの？　痛《いた》くならないといいけど。」

「もともと全然痛《いた》みのない虫歯なんでだいじょうぶですよ。」

ところが、しばらくするとジワジワ歯が痛《いた》み出したんだ。これまで痛《いた》くならなかったのに⁉　もしかして、虫歯のことを意識《いしき》しちゃったことと関係あるのかな……？


キヨミ先生は、なぜ主人公の虫歯が痛《いた》むことを予想できたのだろうか。

解説《かいせつ》

キヨミ先生が心配した通り、少したって主人公は激《はげ》しい歯痛《しつう》に襲《おそ》われた。主人公はニューヨーク行きのために歯医者の予定をとばしたが、虫歯がある人が飛行機に乗ると、歯が急に痛《いた》み始めることがある。「航空性歯痛《こうくうせいしつう》」という現象《げんしょう》だ。

上空を飛ぶ飛行機内は、地上にくらべて気圧《きあつ》が20%《パーセント》ほど低くなる。気圧《きあつ》とは、大気の重さによって生まれる圧力《あつりょく》のこと。気圧《きあつ》が低くなると空気が外側から押《お》す力が弱くなる。そのため飛行機にポテトチップスの袋《ふくろ》を持ちこむと、破裂《はれつ》しそうなほどパンパンにふくらむのだ。

人間の体でもこれと似《に》たことが起こってしまう。虫歯の穴《あな》の中のわずかな空気がふくらむために、痛《いた》みが出ることがあるのだ。治療《ちりょう》ずみの虫歯でも歯とかぶせ物の間にすき間があると、症状《しょうじょう》が出る可能性《かのうせい》は高くなる。パイロットや宇宙飛行士《うちゅうひこうし》といった職業《しょくぎょう》の人たちは、歯の治療《ちりょう》に人一倍気をつかっているそうだ。

50

茶色のワンピース

失敗→逆転《ぎゃくてん》？

1か月過《す》ごしたロンドンも、今日が最後の夜。

この短期留学《たんきりゅうがく》は、国際交流《こくさいこうりゅう》をテーマにしたスピーチ・コンテストに優勝《ゆうしょう》した副賞《ふくしょう》だったんだ。特別に編成《へんせい》されたクラスには、世界各国の優勝者《ゆうしょうしゃ》が集まっていた。アメリカ、ヨーロッパ、アフリカ、アジア……環境《かんきょう》のちがうところで育ってきた子たちと出会える……こんな機会はなかなかないよね。

できるだけいろんな子とコミュニケーションして。ものすごく濃密《のうみつ》な日々《ひび》だったなぁ。カルチャーショックもいっぱい。韓国《かんこく》や中国とか、日本に近い国の文化も全然知らなかったんだって気がついた。

一番仲よくなったのは、フランス人のポーリンと、エジプト人のラナ。

それから、好きな男の子もできたんだ。南アフリカ共和国から来たアシュラフ。

アシュラフはおもしろくって、礼儀《れいぎ》正しくて。でも、天然っていうのかな……たまにヌケてたり、むじゃきで子どもっぽいところもあって、そこもいいんだ。

今夜の打ち上げパーティーの間にアシュラフと2人になれたら、気持ちを伝えようと思ってる。日本に帰っても、つながっていたいから。

「アシュラフのこと、レイチェルもねらってるみたいだよ。今夜のパーティー、『セクシーなドレスでキメる』って言ってるの聞いちゃった。」

ポーリンが教えてくれた。うわ〜、やっぱりライバルいたんだ。

あたしが持ってきたモカブラウンのワンピース、地味すぎたかな。

へこんでたら、ラナが「アシュラフって、あんまりハデな子は好みじゃないと思う。そのワンピース、上品でステキだよ。自信を持って！」と、はげましてくれた。

そして……意外なことにパーティーが始まったら、ビシッとスーツでキメた男の子たちが続々《ぞくぞく》とあたしのまわりにやってきた。もしかしてモテてる⁉

ひと息つこうとラナとお手洗《てあら》いに行ったら、レイチェルと出くわした。彼女《かのじょ》はあたしをジロジロながめると、クスッと笑って言い放ったんだ。

「さっきアシュラフがみんなの前で、あんたのことを『彼女《かのじょ》は牛のファンだ』って言った意味がわかったわ。その茶色のワンピースのことね。うまいたとえだわ！」

ショック！　気持ちを伝える前に、こんなことを聞かされるなんて。

絶望感《ぜつぼうかん》でいっぱいになったあたしに、ラナが笑顔で言ったんだ。

「ねぇ。アシュラフのとこに行こう。２人で話さなきゃダメ！」

レイチェルは意地悪だけど、すぐバレるウソを言うようなバカな子じゃない。

わざわざアシュラフ本人の口から、傷《きず》つく言葉を聞けっていうの……？

レイチェルが言ったことはデタラメではないようだ。それでもアシュラフのところに行って、確《たし》かめた方がいいのだろうか。

解《かい》説《せつ》

じつは、「牛のフン」とは、アフリカでは女性《じょせい》をほめるたとえである。めかしこんだ男たちが1人の女の人にむらがる様子は、金バエが牛のフンに集まるのに似《に》ているため。がんばってオシャレをした男の人を、ピカピカ輝《かがや》く金バエに見立て……「それほど美しい女性《じょせい》だ」とするほめ言葉なのだ。

レイチェルも主人公も、てっきり悪口だと思った。主人公が着ているワンピースは茶色だったし、誤解《ごかい》するのも無理はない。だが、たまたまアシュラフと同じくアフリカ出身であるラナだけは、アシュラフの言葉の本当の意味がわかったのだ。

ラナが解説《かいせつ》してくれて、主人公はアシュラフのところに向かった。そして、お互《たが》いに両想いであったことを確《たし》かめ、帰国してからもおつき合いを続けようと約束したのである。

粟生こずえ

東京都生まれ。小説家、編集者、ライター。マンガを紹介する書籍の編集多数、児童書ではショートショートから少女小説、伝記まで幅広く手がける。おもな作品に、「3分間サバイバル」シリーズ（あかね書房）、『トリッククラブ キミは18の錯覚にだまされる!』（集英社みらい文庫）、『かくされた意味に気がつけるか? 3分間ミステリー 真実はそこにある』（ポプラ社）、『ストロベリーデイズ 初恋～トキメキの瞬間～』『ストロベリーデイズ 友情～くもりのち晴れ～』（主婦の友社）など。『必ず書ける あなうめ読書感想文』（学研プラス）はロングセラーを記録中。

装画　しきみ
協力　金田　妙
装丁　小口翔平＋奈良岡菜摘＋三沢稜（tobufune）

3分間サバイバル
つかみとれ!　最高の結末

2021年11月初版　2025年3月第6刷

作　粟生こずえ
発行者　岡本光晴
発行所　株式会社あかね書房
〒101-0065 東京都千代田区西神田3-2-1
電話　営業（03）3263-0641
　　　編集（03）3263-0644
印刷・製本　中央精版印刷株式会社

NDC913　254ページ　19cm×13cm

ISBN978-4-251-09681-4

https://www.akaneshobo.co.jp